ITと私の40年

情シス内側からの報告

伊東途雄
Michio Ito

JN112850

文芸社

はじめに

　今、平成が終わり、この30年を振り返る機会が増えてきました。

　この30年を日本の衰退と重ねる見方が多いように感じます。

　様々な原因が考えられる中で、モノづくりを中心とした日本の産業が、ソフトウェアを中心とした世界の新しい流れに追いつけなかった事は、共通して指摘されています。

　もちろんこれは原因の一部にすぎないかもしれません。

　一方、今、AIという言葉が話題に上らない日はありません。

　AIの活用が、日本の将来を左右する事もよく言われるところです。

　私は、かつてどこかで見たような既視感を否定することができません。

　ちょうど平成の始まりの頃、これからはITの時代だと、評論家、経営者の皆さんは繰り返していました。

　ITの真の理解を得ぬままに、この時代は過ぎていきました。

　同じ事が繰り返されないと誰が言えるでしょうか？

　私は40年以上前に社会人となって以来、一貫してコンピュータに関わってきました。

　これは、昭和の高度成長を終えた日本の絶頂期に始まり平成を過ぎ現在に至る40数年です。

　この間、ITの世界には様々な出来事が起こりました。

　パソコンが登場し、ネットワークの広がりと合体して、インターネットに繋がっていきました。

　ITは現在もビッグデータ、AI、IoTとさらに未来に向けて広がっています。

　私はコンピュータメーカーや、専門のIT企業の最先端にいたわけではなくごく一般の企業などの職場で様々な仕事に遭遇し悩みながら2019年3月まで勤め退職しました。

　技術者と言うより、文系出身で入社してはじめてコンピュータを学び、ITの現場で、日常業務として仕事をこなしてきた無数の名もない担当者の一人として、ITの歴史を、技術を語るのではなく人との関わりや社会との繋がりという視点で残す事に意味があると考え筆をとりました。

　コンピュータにかかわる様々な業務に従事する人たちとその仕事も40年で大きく変わってきました。

　入社した当時から、この仕事には過労働の問題がありました。

　この仕事にたずさわる人たちは、当時からホワイトカ

ラーでもなく、ブルーカラーでもないグレーカラーと表現されていた事を思い出します。

　多くの人たちがユーザー企業（一般企業）のIT部門に勤め、社内でプログラムを作成していた時代から、専門のIT企業に仕事がアウトソースされる時代に変わっていきました。

　社内ではパソコンが普及し、コンピュータ部門が独占していたITの知識は、拡散していき、IT部門の役割も変わってきました。

　コンピュータと人との関わり、社会への影響の側面からこの40年を問い直す事は、これからの未来を占う事に繋がるかもしれません。

　私はこの記録を通して、世の中で同じ時代を同じように生きた多くの人たちと思いを共有しつつ過去、現在、未来へと続くITの本質を探りたいと思います。

　65歳で退職するまで情報システム部門で勤務した中で、最後に教育に関連した業務に従事し、学生の就職や授業の支援などを通じて、IT人材育成に関する興味を持つ事ができ私の思いに一つの方向性ができた事もきっかけになりました。

　その意味では若い方々にも、この仕事に関わるか否かは別として、ITの本質的な要素を少しでもわかりやすく伝え、この仕事の光と影を含めた現状を理解していただく事ができたらと考えています。

　ITの世界はあまりにも広がってしまい見る角度に

よって全く異なる様相を呈します。

　その意味では、狭い専門の立場からではなく、広く社会で活躍される様々の方々、これから社会に、出ようとされる若い方々、そして私とともに歩んできた世代の人たちまで幅広い視点からこのテーマについて一緒に考えていただきたいのです。

本書の構成

　繰り返しになりますが、私は22歳で入社してから、定年を過ぎ65歳まで一貫してコンピュータに関連した業務に携わってきました。

　この40年の間、最も大きな変貌を遂げた分野の一つだと思います。

　この間、大きく変化して、なくなっていくものもあれば、すっかりその本質が変わってしまうものもありましたが、コンピュータはこの40年を経てもなおかつ拡張しつつ社会における重要度はますます大きくなっています。

　しかしながらその本質はこの長期間にわたり変わらないと私は感じています。

　それは所詮、人間の作りだした道具の一つである事、人とその社会の中にあってその存在意義が意味づけられるものであるからです。

　私は最も利用部門に近い現場で、周囲の人たちがどう接しどう変わってきたかを定点観測のごとく見つめ続ける事ができました。

　本書ではコンピュータという道具の変わらぬ本質を見つめながら、現場で見て感じた事をあくまで人との関わ

りについて時系列でお伝えしたいと思います。

　その特質それぞれについても40年を通した変化の概観を描ければ、それがどんな未来につながっているかを皆さんに想像いただけるのではないかと期待しています。

　私自身、文系出身という事もあり、できるだけ専門用語を使わず、一般の方にご理解いただけるよう、また同年代を過ごされた方には若干、懐かしくまた共感いただける部分もある事を期待しつつ書き進めてまいります。

1. 大型コンピュータの時代（1976年〜1986年頃）

　40年前、すでにコンピュータは企業に根付いており、その本質は現在と変わらないと感じています。

　しかし、人との関わり、コンピュータを取り巻く組織は現在と大きく異なっており当時コンピュータとの関わりは専門家集団が独占していました。

2. ネットワークとPCの時代（1986年頃〜1995年頃）

　社内のコンピュータ利用はネットワークを利用してさらに広がっていきました。

　同じ頃、初めてパソコンが登場しましたが、一部の技術者が研究目的に使ったり趣味で楽しむ範囲にとどまっておりシステム部門が注目する事はありませんでした。

　しかし一般の人が簡単に利用できるツールや環境が徐々に整っていき、着実に社内に浸透していく中で専門

家が独占してきた領域が部分的に崩されてゆきます。

3.　ダウンサイジング（1996年頃〜2000年頃）

　オンラインという点で優位性のあった大型コンピュータシステムですが、PCもサーバーと組み合わさり存在感を増しつつありました。

　PCは、Windows95でさらに進化したネットワークであるインターネットと結びつき世界中に爆発的に広まっていき、大型コンピュータシステムを代替する勢いをもつにいたりました。

　社員一人一人にPCを配布し、社内にLANを張り巡らし、メールシステムが動き出す中でオープンシステム特有のリスクに対処する事が、システム部門の大きな役割になりつつありました。

4.　モバイル・クラウドの時代（2000年頃〜2006年頃）

　ネットワークはインターネットへと進化し、90年代には、PCもインターネット接続が可能となり、家庭からインターネットに接続する事が一般的になりました。

5.　IT社会の現在と未来

　最後はコンピュータに関わる人について考えてみたいと思います。

　アメリカではSEは最も人気のある職業の一つですが、日本ではこの業界は残念な事に4Kと言われるほど過酷

な環境で社会的な地位も高くありません。

　数十年にわたる日本の衰退、停滞を見るにつけ、40年前には産業の新たな担い手と思われたITがなぜ期待に応えられなかったか、この事が大きな関連があるように私には思えます。

　これから広がるIoTやAIなど新しいITの未来を考えた時、失われた時間を振り返ることも意味があるかと思います。

目　次

I. 大型コンピュータの時代

　私の目の前ではたくさんのランプが点滅し、無人のタイプライターが何か英文のようなものを高速にプリントアウトしていました。

　目を横にやるとそこには何台ものテープ装置が並び音を立てて回転していました。

　入社して初めてコンピュータルームに足を踏み入れた時、目の前に広がる景色でした。

　事務所とはガラスで仕切られた大きな部屋をコンピュータが占領し室温は20度に保たれているため冷気の中をわずかの社員が行き来していました。

　1976年、まだ日本は高度成長の余韻が残り、オイルショック直後の不況ではありますがまだまだバブル崩壊には遠く未来は日本の世紀となんとなく思っていたそんな時代でした。

(1) ハードウェア

　当時のコンピュータは、現在のPCに比べてもその性能は大きく劣るにもかかわらず非常に大きなものでした。

　コンピュータの基本要素は昔も今も同じです。

　コンピュータの中枢は演算装置であり、CPUと呼ばれ現在もその機能は変わりません。

　演算装置にはケーブルを介して入力装置、出力装置が繋がっています。

　またメモリ、ディスクなどの記憶装置も当時の概念と変わりません。

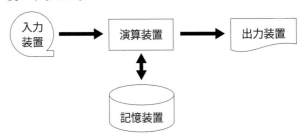

　当時のディスク装置は、大きな鍋を伏せたような形をしていて、その一つ一つが大型トラックのタイヤのような形をしていて、その回転は激しくそばで見ていても振動が伝わり、今にも飛び出してくるのではないかと思うほどでした。

　多くのデータは、直径20cmはある磁気テープとして保管され、処理のつど掛け替えてデータを読み込む必要がありました。

　このため多くの人手を要します。

　入社して初めて入ったコンピュータルームの中心で四六時中高速で出力されているタイプライター、これがコンソールです。

　プリントアウトされているのは、現在のコンピュータの処理状況です。

　つまりこの機械はモニターなのです。

　当時はディスプレイコンソールがなく紙に出力していました。

　そのため、刻々と変わるコンピュータの処理状況はプリンターに打ち出されるのです。

　この紙がまたすぐに交換しなければなりません。

　コンピュータへの指示はどうしていたのでしょう。

　先ほどのコンソールには、タイプライターが付いていてここからコマンドを打ち込む事もありましたが、大半は、カードリーダーから投入します。

　コンピュータへの命令は決まりきった多数のコマンドで構成されますので、これをあらかじめタイプして穿孔カードにパンチしておきます。

　1枚のカードには80文字パンチできます。

　このパンチした一連のカードは、それぞれ営業日報であったり、会計処理あるいは給与計算など様々の束になっていて決まった文法で命令をパンチします。

　これをJCLと呼び、この塊をカードリーダーに投入してコンピュータに仕事をさせるやり方をバッチ処理と呼んでいました。

　このJCLを読み取ると、コンピュータはその処理ごとに必要な入力データを要求し、その都度、磁気テープをセットしたり、あるいはカードをデータとして読ませたりして、計算させ、結果を主としてプリンターに出力させていました。

　こういった処理は、給与計算、売上の月次締め処理、会計処理など月次単位の様々な帳票出力が主な仕事でした。

　全国にある営業所からの売上データは当時ネットワークはなかったので、主として航空便で毎日届きました。

　データは、紙テープで記録されています。

　各地の売上は現地で当時伝票発行機といわれた機械に受注のつど打ち込み伝票とともに、データが紙テープとして出力されるのです。

　これが、札幌や福岡のような少し離れた都市からは飛行機を使い、名古屋や大阪からは高速道路を通って毎日、本社まで届けられるのです。

　私の仕事は、それを紙テープリーダーに読み込ませ全国の地方ごとの売上日報を印刷し、それらを本社の各部署や、全国に発送する事でした。

　各地にはまた航空機で発送するので、さらに1日近くかかってしまいます。

　そういう意味では私は、会社の中で真っ先に最新の売上を目にし、かつ各地方別にまた事業部ごとに動向を把握できる場所にいました。

　とはいえ作業は単純で、紙テープのセットから毎日が始まります。

　紙テープは昔、船旅で出航する乗客に向け、波止場で見送る人々が投げたものと同様のイメージですが、紙テープリーダーはこれを読みながらものすごい勢いで吐

き出していきます。

　それを受ける大きな木の箱がありました。

　また、紙テープなので時々破れてしまいます。

　これをのりでくっつける作業が職人わざで、先輩から習いましたが私はなかなか上手にはなりませんでした。

　間違えると売上の数字が変わってしまう可能性もあるのですが、実に危うい人の作業に依存していたものです。

　これはのちにフロッピーディスクにとって代わられ、最後にはオンラインネットワークにより、全国各地で入力された売上は、人手を介さず瞬時に本社のコンピュータに送信されるようになります。

　データの入力に対して、出力の主役はプリンターです。

　当時の大型プリンターは、社内の一切の印刷を一手にまかなっており非常に大きなものでした。

　適当な例えが見つからないのですが、洗濯機を2〜3台並べたようなものでしょうか。

　但し、英数字とカナしか出力できませんでした。

　そのため、給与明細、各種日報、月報など予めフォームが印刷された紙を帳票ごとに用意しておき、決まった位置に数字やカナを印字するように用紙をその都度掛け替え印字位置を調節するという面倒な作業を要しました。

　このプリンターも、その後コンピュータが漢字を処理

できるようになり、さらに印字方式が進化してドットインパクトと呼ばれる活字ではない印刷に変わり漢字はもとより罫線も印字できるようになり、予め用紙を掛け替える必要がなくなりました。

　また本社で集中して印刷する必要もなくなり、各地にプリンターを分散配置し、現地で印刷したりあるいはディスプレイに表示させる事ができるようになりました。

(2) ソフトウェア

①システム設計

「コンピュータ、ソフトがなければただの箱」これは、私がコンピュータに関わった当時に言われ、その本質を表す言葉として印象に残っていますが、今にいたるまで変わらない真実です。

　私は入社当時、プログラマーとして勤務を始める事を指示されました。

　プログラマーが何をするのか、私にはわかっていませんでした。

　プログラムは、英語に似た言語で、やたらとIFという言葉がちりばめられた文書のようなものを記述して連

ねていくのですが、非常に根気がいるものでした。

　当時事務の分野で主に使われていたプログラム言語はCOBOLと呼ばれる種類のもので、これを一から習い覚えていきました。

　言語ですから文法があります。

　語彙も覚えなければなりません。

　当時は、プログラムの用途は、様々の帳票の印刷が中心です。

　帳票ごとに、異なる入力データを読み込み、それを集計、計算し、編集してプリントアウトする事がプログラムの主な用途です。

　プログラム作成の前にまずシステム設計を行います。

　例えば売上月報の場合、作成に至る様々な作業を細かく分析し図にまとめていきます。

　通常人間が行うとしたらどのような順番でどんな作業を行うかを、もとになる入力されたデータを読み、何を見て何を判断するか、そこからどのような計算を経るかを一つ一つの加減乗除レベルまで分解し最終的には、行単位にどの項目には計算結果のどの部分を記載し、一行を出力するか、何行出力したらあるいは何が変わったら次のページに移りまた見出しを印刷してから、明細行の印刷に移るか。

　これらの全てのプロセス、条件による分岐を頭の中で想定し、正確にそして全てのケース、すべての可能性を想定し記述していくのです。

　この作業には、プログラム言語は使いません。

　ただ論理的な思考が必要でコンピュータに何ができるかを「命令文」として知っていてその制約の中でできる事をなるべく無駄なく実行できるように組み立てていきます。

　この仕事をシステム設計といい、その結果を「仕様書」として文書に記述します。

　この過程で使われるのが、フローチャートと呼ばれる図です。

②プログラミング

　プログラムは、コンピュータができる事＝「命令文」と様々な条件＝「IF文」の組み合わせでできています。

　システム設計にあたっては、このありうる様々な条件を全て想定して定義する事が必要で、これが漏れるとプログラムが誤った結果を出力したり、暴走して止まらなくなったりします。

　プログラマーは、設計者が想定し記載したこの仕様書を、自分の知っているプログラム言語に置き換えていく事が仕事です。

　冒頭に示したコンピュータの構成図を思い出していただきたいのですが入力 – 演算 – 出力と機能が分かれ、演算機能には記憶装置が繋がっています。

　プログラムはコンピュータのこの構成に沿って順番に処理を進めます。

　当時は紙に出力するレポートがほとんどでしたが、画面に出力する事もあるし、またコンピュータ内のデータベースを書き換える更新作業である事もあります。

　プログラムの中は、大小様々に分岐していて、事細かにまた階層化された条件によって実行内容を分けていきます。

　またプログラムの中には、開始から終了までのプロセスを定義して、その間にある大小様々の条件文（IF文）を通して判断し、実行内容や結果が分かれていきます。

　そしてその実行結果を順を追って進めていき、次のデータを読み込み、同じ判断を繰り返していきます。

　そして最後のデータを読み終わった時に、このプログラムの処理を終了させます。

　一つのプログラムの中に、無数の実行内容が記述され、また無数の条件文（IF）が記載されています。

　一つの条件を読むと、プログラム中の様々な実行内容が記述されている行に飛びます（GO　TO文）。

　また一つの実行結果が終わると次の実行結果が記載されている行にまたGO　TO文で飛びます。

　プログラム中の各行に記載された次に実行内容に処理が移り次から次へと繰り返すのです。

　コンピュータの草創期には、機械語と呼ばれる記号の集まりを理解した技術者がこのコードを記述してプログラムを作成していました。

　COBOLはそれを、コンピュータを使いうる最も多数

の人間がわかりやすい言語＝英語でプログラム作成できるようにしたものです。

　だから多数のIF文とそれを受けたMOVE、COMPUTEなどの英語の命令文の組み合わせを英文法に沿って書くものです。

　この言語が非常にわかりやすかった事は、日本を含む世界中に広まり、当時ほぼ世界共通語となり、21世紀になった今日でも未だに多くの企業や団体で使われている事からもわかります。

　COBOL以降にも様々な言語が開発されてきましたが、おおむね同じ考え方で作られています。

　あくまでも人間がわかりやすい言語であって、コンピュータはこれをそのまま理解し実行するわけではありません。

　一旦、全てのプログラムを読み込んだ後に、機械がわかる命令の塊（機械語）に翻訳します。

　この作業をコンパイルと呼びます。

　文法や語彙の誤りがあると、翻訳ができずプログラムエラーと表示され、プログラマーはこれがなくなるまで延々とこの作業を繰り返します。

　これをデバッグと呼びます。

　プログラムの誤りをバグと呼びそれをなくす作業という意味です。

　プログラミングの現実の手順はどんなだったでしょうか。

　我々はまず、仕様書をもとにコーディングを行います。

　実際の作業はコーディングシートという原稿用紙のようなマス目が印刷された紙に鉛筆で、先ほどのCOBOLに沿った単語を、どんどん記載していきます（1行が80文字の横書きです）。

　全て書き終わったら、パンチに出し、先ほどの説明にあったように同じく紙のカードにパンチ（穿孔）します。

　多くの場合、これを専門業者に渡して後日届けられ、できあがったパンチカードの束は、いったんカードキャビネットに収めます。

　これからが、デバッグ作業、これらのパンチカードを、カードリーダーから読ませていよいよコンパイルです。

　一発で通る事はあまりありませんでした。

　カードリーダーはコンピュータに仕事を指示するのに使いますが、これらのプログラム言語を直接読ませる事にも使います。

　コンピュータはカードにパンチされたプログラムをデータとして読み込みこれらのカードの前後に、コンピュータに翻訳を指示するカードを読ませる事でコンパイラー（翻訳するためのプログラム）が動作するのです。

　通常は、コンピュータがランプを点滅させながらしばらくの時間がたちおもむろに結果を印刷します。

　そこには、プログラムの何行目に、どんな間違いがあったかが、英文で返ってきます。

　修正を何度か繰り返し文法的な誤りをクリアーしてもさらに関門があります。

　テストデータを元に事前に、手で計算した結果と突き合わせて検証します。

　これも、テストデータの作り方や量によって、検証できるケースが一部であったり想定が間違えていたりします。

　プログラムの中にたった一つのピリオドが抜けていても前後の文章がつながってしまい意図しない動きや論理になってしまいます。

　また仕様書作成の段階で、様々な条件の想定が漏れている場合もあります。

　データとしては1年に1回しか起こりえないケースも想定してIF文を作っておかなければなりませんし、複合的な条件（多重IF）も論理を間違えずに記述しなければなりません。

　普通の人間には耐えがたい無数の論理構成の組み立てやチェックの末に完成したプログラムを見てそれなりの達成感はありますが、疲労感も相当なものです。

　入社したての当時、営業や事務、技術など他部署にいる同期の仲間からはまだ仕事が終わらないのに事務所に飲み会の誘いの電話がかかってきますが無数のエラーリストを前に夜遅くまでためいきをついていました。

　無数のIF文が印字されたプログラムのミスを探す作業、これはある意味人間には向いていない作業だと思いました。

　機械はどんなに複雑な論理であろうと間違えていなければいくらでも処理できますが、人間の能力や根気には限度があります。

　当時、この複雑でこんがらがった論理を持つプログラムを、「スパゲッティプログラム」と呼んでいました。

　ソースリスト（プログラムが印字されたもの）上で追う際に鉛筆で追っていくと無数のこんがらがった線が描かれる事からついた呼び名です。

　主として人間の認知能力には限界がある事、また当時は入出力装置の性能や特性などの制約も考慮して、プログラムは一度にあまり多くの事を処理しないよう細かく分割して、複数のプログラムを順番に実行するように設計されていました。

　プログラマーはこうして間違いを一つずつ発見し、その行にあたるカードを打ち直して差し替えコンピュータに読ませて修正していきます。

　このためパンチを全て外の業者に出していては仕事にならないので少量のプログラムや、修正、またコンピュータに指示を出すカードなどは自分たちでパンチしていました。

　事務室の隣に、穿孔機が並んだパンチ室があり、プログラマーが自分でパンチします。

　この穿孔機はアルファベットと数字、カナのキーがある一見するとタイプライターで、タイプするとカードの決まった位置に穴があく、それだけの機械です。

　しかし当時、日本の一般的な事務所でタイプライターはほとんど使われていなかったので、今で言うブラインドタッチなどと言う言葉も知らず、一般のオフィスワーカーがやったことがないタイピングを我々はほとんど自己流で覚えていきました。

　ちなみに当時のタイプライターは漢字は打てませんでした。

　漢字を使う実際の書類作成は、和文タイプと言ってタイピストという専門の職業や部署が存在しました。

　多数の漢字を活字として拾い集める非常に専門的な技術です。

　コンピュータ自体、漢字を扱えなかったので、その専門家も英語に合わせるしかなかったのです。

　そういう意味で、日本のコンピュータ利用は大きなハンディを負ってスタートしていました。

　さてこれらのパンチカードにまつわるとても印象的でにがい思い出があります。

　上記のような作業の途中でできあがったプログラムをパンチしたカードの束をキャビネットに収納する時です。

　少し分けて持っていけばよいものを横着して一度に持っていこうとしました。

　私の足が何かにひっかかったのかほんの少し躓いた瞬間、手の上にあったカードの束は空中に舞いあがり一面の床に広がっていました。

　もうこうなると元どおり順番に並べるのが難しく気の遠くなる作業を覚悟しなければなりません。

　このように40年前のコンピュータ利用は紙と人間に依存していました。

(3) コンピュータと人、組織の関わり

　当時から、小さな会社にもコンピュータ部門はあり、プログラマーやオペレーターなどの専門職が確立していました。

　私が使っていた大型コンピュータだけでなく、オフコンと呼ばれる小型のコンピュータも中小の様々な企業で使われていました。

　ただ、世の中から見ればコンピュータはごく一部の人たちだけが接するもので会社の中でも特殊な人たちが専門職として勤務していて、一般の部署とは壁がありました。

　私自身は、もともとこの仕事を目指していた訳ではなく、たまたま入ってしまったというのが正直なところでした。

　いても一時の事だろうと思っていたのが40年以上関わるとは夢にも思っていませんでした。

　当時のコンピュータ部門は様々な呼称がありましたが、我々は電計課と呼ばれており、経理部の中にありました。

　電子計算課という意味です。

　コンピュータは電子計算機と呼ばれていました。

　これに関連して思い出す印象的な景色があります。

　はじめにお話しした入社して初めてコンピュータルームに入った時の事です。

　私の前には、コンピュータ全体を管理するコンソールがあり、たくさんのランプが点滅するSFのような世界があったのですが、実はコンソールの前の椅子に座った私の先輩が、一生懸命そろばんをはじいていたのです。

　このアンバランスな光景が、とても印象的だったのを覚えています。

　この事は、当時のコンピュータと人間の関係を表していると思います。

　コンピュータは完全ではありません。

　そのプログラムは人間が作ったもので人間のケアレスミスがあればそのまま反映します。

　そこで、人は、その時にできる最善の方法で答えを検証しようとします。

　それがそろばんだったというわけです。

　ちなみに当時、会社に入社すると必ずそろばんが支給

されていました。

　あらかじめ社員の机の引出の中に入っていました。

　私自身はそろばんもできなければ、コンピュータも使った事のない素人でした。

　当時の同じ職場の若い人たちは電算機専門学校の出身、ベテランは高校を卒業し会社に入ってからコンピュータを勉強した人たちでしたが、非常に優秀な人たちでした。

　彼ら専門家の集団の中でやっていけるか不安を感じながら社会人としてスタートをきったのでした。

　私の課は、10人もいなかったと思いますが、当時は大卒は私だけで理系ならともかく文系は珍しかったと思います。

　私は経済学部出身ですが、入社前に大型コンピュータは一度だけ見たことがありました。

　当時の文系学部では、珍しかったと思いますが「電算機概論」という科目を取っていて、その中で実習が1回ありました。

　大学のコンピュータルームを見学しプログラム作りを体験するという授業でした。

　とはいえ自分でオリジナルなものを作るのではなくただできているプログラムをなぞって大学のコンピュータを使って実行してもらうという授業だったと記憶しています。

　実行結果は、当時アルファベットと数字しか出力でき

ないプリンターにモナリザを描かせるというものでした。

　活字をうまく並べて遠くから見ればそれらしく見えるというものでした。

　この実習を含めて授業には3回くらいしか出ていなかったと思いますが、優しい先生で試験の前の授業ではどんな問題が出るか教えてくれたおかげで優を取る事ができました。

　幸か不幸かこの成績が、入社試験で当時のコンピュータ部門の責任者の目につき採用につながり、何も知らない私とITの40年が始まってしまったのです。

　入社前にはCOBOLの入門書が送られてきました。

　それから、入社して2週間は、蒲田にあったコンピュータメーカーに研修に通いましたが、私の受けた教育は実質それだけでした。

　後は、OJTで実践あるのみ、とは言え1年間は上司の出してくれた課題を作成する事に明け暮れほとんど仕事と言えるものではなかったと思います。

　私自身は、この仕事を一生続けるという気持ちはさらさらなくいずれは一般職に移る事を考えていました。

　営業には自信がなかったのですが、できれば本社で企画部門を担当したかったのです。

　コンピュータ部門は他部署から孤立して別のフロアーにポツンと存在していて、普段は他の部門と接する事もなく同期で入社した仲間と会う事もありませんでした。

　一日の勤務を終える頃になっても、デバック作業は延々と続き、プログラムエラーの連続、夜になっても同期からの誘いにも乗れない。

　課の人たちも優しくはしてくれましたが、そんなに使えない新人を一人前には扱ってくれません。

　唯一の大卒ということでも少し浮いていた部分も感じました。

　当時の会社は学歴にかかわらず優秀な人を採用する社風でしたが、給与体系には学歴が反映されていました。

　大卒の少ない私の部署の先輩たちは、昇給や昇進で同年齢の社員から比べると不利であったと思います。

　また、仕事の実績を上げても会社の花形である営業と比べるとその業績が理解されにくく評価の面でも目立ちにくい存在でした。

　私の部署の人事考課も経理課長が面談していましたが、私は同期と比べて賞与が違うと思っていて、思い切って不満を伝えました。

　その時に、先輩たちを越えて評価する事はできないんだと伝えられました。

　私は新人としては出過ぎだったかもしれませんがスペシャリストではなくてゼネラリストになりたいと遠回しに配置転換を求めた事を覚えています。

　あせりや不満をかかえて少し腐っていた頃、教育係でもある上司にその事を相談したのですが、私に次のように語ってくれました。

　その人は、実直で私のように評価や出世を考える人ではありませんでした。

　ただ、仕事が心から好きで続けている、そういう人でした。

　そして悩んでいる私に、この仕事のおもしろさを伝えてくれました。

　実際の作業はただコードを記述してパンチしてテストしているだけだけどそのプログラムが何をするのか理解していなければ設計もできなければ検証もできない。

　作っているのはただの帳票ではない。

　無数の条件設定のIF文はその帳票が担っている業務を理解していなければ書けない。

　経理のシステムに関わる時は会計を、給与明細を作成するには、税金や社会保険の知識が必要です。

　新たにシステムに関わるたびに新たな知識を身に付ける。

　その事が新鮮で楽しいとそんな事を教えてもらったと思います。

　この人は、自分の考えている小さな事よりももっと広い世界を見ている。

　この世界で働いてもいいかなと思い直した瞬間でした。

　システムの対象となる業務を深く理解する事、その作業を論理的に組み立てる事それだけで、コンピュータを使わずに業務を効率化する事もできる場合があります。

　これこそが、文系理系関係なくできる事です。

　コーディングがまだ得意ではなくてもプログラム技術を覚えていなくても、むしろ文系として自分の力を発揮できる方法があるのではないかとぼんやり考え始めました。

　この事は、今にいたるまでの信念ですし、コンピュータと社会に関わる真理につながる事だと思います。

Ⅱ. ネットワークとPCの時代

（1） ネットワークの登場

　22歳で入社し最初の2年間をプログラマーとして過ごした私ですが、1年先輩のオペレーターの退職に伴い急遽オペレーション担当に移る事になりました。

　前章で紹介した紙テープからの売上データ入力のシーンは、当時のオペレーターとしての私の仕事でした。

　1970年代のコンピュータ利用はまだバッチ処理が中心でした。

　バッチ処理とは、全てのリソースを中央に集中して一度に処理する方法で、当時コンピュータの特性を最も効果的に実現できる手段として認識されていました。

　コンピュータは、大量のデータをまとめて入力して、それを高性能な計算機能で処理し計算、集計結果をプリントアウトなどで出力する、これが定番でした。

　私たちの会社でも、データは紙で、電算室に集められ、カードリーダーや紙テープリーダーで高速に読み取られます。

　その結果を自分たちで作成したプログラムで処理して、販売月報など紙で出力し各部門に配布する。

　データ作成から、処理、出力まで一切を、コンピュータ部門が自分たちでまかない他部門には触れさせない。

そういう体制でした。

　一般の部門は、コンピュータに触れる機会はなく結果として配布された月報などを手にするだけです。

　ただ、一か所だけ例外がありました。

　私が入社した1976年は稼働した直後だったと記憶していますが、本社と東京営業所は同じビルの違うフロアーにあり、東京営業所だけは、オンラインで結ばれていました。

　ここには数台の端末があり、この端末で入力されたデータは、唯一直接コンピュータにリアルタイムで読み込まれていました。

　機械としては、現在のPCのような計算機能は、端末にはありません。

　ただ、6階にある本社電算室のコンピュータからケーブルを4階の東京営業所まで伸ばし、その先にテレビと、キーボードがあるだけです。

　しかし、一般のオフィスにはじめてコンピュータの端末が進出し、事務員が入力した結果が直接コンピュータにリアルタイムで読み込まれるという点で、それまでの全てを一括して中央で処理する体制から、新たな分散処理への一歩を踏み出していました。

　基本となるプログラムは依然として、本社コンピュータの中にあり、入力したデータはそこで処理されるのですが、プログラムの考え方、コンピュータの処理はそれまでとは大きく異なっていました。

　中央で集中処理をするという意味では、変わりません
が、月次や日次などある塊で集めたデータを一度に処理
するのではなく、売上が上がるたびに一つ一つを随時読
み込み処理していくのです。

　これを、従来のバッチ処理に対してオンラインリアル
タイム処理と言います。

　プログラム作成は業務の作業手順に沿って、また当時
の機械の制約によって多くのプログラムに分割されて順
次処理されるように設計されると言いました。

　しかし、オンラインリアルタイム処理ではその人間の
作業手順そのものが変わってきます。

　例えばデータの入力ですが、ここには人間の様々なミ
スが発生する可能性があるので、いかに正確性を保ちク
リーンデータとしてコンピュータに投入するかは永遠の
課題です。

　バッチ入力では、一旦すべてのデータを読み込ませて
その内容をコンピュータにチェックさせ結果をチェック
リストとしてプリントアウトします。

　ここまでの作業を一つのプログラムとして作成しま
す。

　コンピュータ部門のオペレーターは、このチェックリ
ストを見てエラーが出たデータについて訂正して再入力
し、誤りがなくなった段階で、次のプログラムを流しま
す。例えば売上の累計に加算したり在庫に反映させたり
等のプログラムを次々に流していきます。

　コンピュータは現場で働く人たちがより便利に楽に仕事ができるよう要望を吸い上げて進化してきました。

　現場の人たちが、入力したその間違いを気が付くように、注文を受けたその場で在庫更新をして在庫不足を確認したい。

　取引先の与信を確認したい。

　それらは後でまとめてやるのではなく入力したその時に返事が欲しいのです。

　そのため、プログラムには、これらの処理をまとめて順番に行うのではなく、1件処理するたびに全ての事を行うように組むように変わらざるをえませんでした。

　1件注文が入力されたら、その得意先コードは正しいか、商品コードは正しいか、間違っていればその場でエラーを返して入力している人に気が付かせる。

　別のコードと取り違えていないか確認させるために、その名称を表示する。

　その場で在庫を確認し、注文数量を販売できなければ、在庫エラーを返す。

　こうする事でその場で1件ずつクリーンデータにしてその場で売上を累計し、その場で在庫を更新する。

　オンライン処理では本社コンピュータ部門でのオペレーターの仕事はなくなっていきます。

　データのチェックや、決められた順番でプログラムを流す作業は減り、朝一番でオンラインプログラムを立ち上げておけば後はコンピュータが一日中データを待ち構

えて、入力されるたびに処理を行います。

　東京だけだったオンライン機能を全国展開するプロジェクトが立ち上がり私は30歳を前にしてオペレーション担当から再びシステム開発のグループに加わる事になりました。

　開発規模から、自社だけではいかんともしがたく外部のソフトウェアハウスに開発を委託し我々は設計を担当しました。

　入社当時のプログラマーからSE（システム・エンジニア）に一歩近づけるかなと思いました。

　オンラインシステムでは一度に全ての事を実施するために、プログラムは複雑化し大きくなります。

　以前のように、順番に処理する方向で分割するのではないけれど、機能ごとに分割し、親子関係のように、プログラム間で連携し処理が受け渡されるような仕組みで作られていきました。

　また以前のように、コンピュータの負荷を考えながら処理の投入をオペレーターが制御していく事はできなくて、一定の時間にデータ入力が集中してしまいます。

　そのピークのためにコンピュータの処理能力が不足する事態が生じつつありました。

　ここから延々と続くレスポンスの問題の始まりです。

　コンピュータの処理方式に関わる重要な変化をもう一つ紹介しておきたいと思います。

　データを保存しておく概念として「ファイル」という

言葉があります。

　このファイルの読み書きですが、当初はシーケンシャルファイルが一般的でした。

　シーケンシャルファイルは、順番にしか読み書きできないものです。

　紙のカードや、磁気テープがこれにあたります。

　これに対して新しく出てきたのは磁気ディスク装置です。

　このディスク装置にあるファイルにもシーケンシャルファイルがありますが、ディスク装置の特性を生かしてランダムアクセスファイルが新たに出現してきました。

　磁気ディスクは、レコードとレコード針の関係のようにディスク装置の異なった場所に瞬時に移動したり、行ったり来たりする事ができます。

　この事が、データの検索、照合というコンピュータの重要な働きに必須のものとなっていきます。

　これはオンラインリアルタイム処理に必須である事を、先ほどの事例に沿って説明します。

　受注入力の画面で言えば、取引先コード、商品コードを入力すると、そのコードが実在する正しいコードであるか確認するためには、それぞれ取引先マスター、商品マスターというランダムアクセスファイルを検索します。

　一致しなければエラーを返し、一致すればその名称を画面に表示します。

　また商品マスターを検索した際に、現在庫をチェックし、不足していればエラーを返します。

　このデータのマッチング機能こそが、コンピュータの大きな特徴となり社会を変える大きな要素となっていくのです。

　この概念はデータベースという言葉に置き換えられ、検索の際の照合に使うマスター（台帳）、キーなどの言葉とともに一般化し社会的に多用される機能になっています。

　本題のネットワークですが、今、世界中の誰もが繋がっているインターネットは当時は存在しません。

　当時のネットワークは、先にお話しした企業内の配線か、専用線です。

　入社当時のオンライン接続されているのは東京営業所でだけでした。

　東京営業所は建物内でケーブルを伸ばすだけなのですが、東京以外の営業所となると話は違います。

　全国オンラインが完成した時、私は30歳を過ぎ時代は80年代後半、昭和の最後に向けバブルの真っただ中でした。

　電算室に社長を招きテープカットまでしたのを覚えています。

　私は社長が来た事よりも、札幌や福岡から今まで飛行機に乗ってきていたデータがリアルタイムで時々刻々ダイレクトに入ってきている事に不思議さと一種の感慨を

覚えていました。

　この仕組みは、単にケーブルを伸ばしたものではなく社外に出て全国に繋がっているものです。

　当時は電話を含め国内の通信は電電公社（現在のNTT）が独占していました。

　民間企業ではなくお役所でした。

　私の知り合いでやはり民間企業のコンピュータ部門に勤務していた人の話です。

　こういった専用線については、回線を使用するには申請が必要で、当時その方は、分厚い資料を作成しそれをきれいに製本までして電電公社の窓口に提出しました。

　ところが、窓口の職員がいとも簡単にきれいに製本した申請書をその方の目の前でびりびりと破き必要な部分だけを残したそうです。

　当時、民間企業の上に立っていたお役所としての電電公社の姿がうかがえます。

(2) PCの出現

　私が入社した1976年当時はまだ、パソコンはありませんでした。

　Windowsも、Macもインターネットも存在しません。

　技術屋さんが、自作していたマイコンと呼ばれる機械

が私の記憶としては一番古いものかもしれません。

　NECのTK-80とかいうキットが趣味の世界ではあったかと思いますが、しょせんおもちゃであって、我々が仕事で使っているコンピュータと同列のものとは全く思っていませんでした。

　オフィスにあるコンピュータは、オンライン端末のみで、これは先ほど述べたように、単なるテレビと、キーボードから出来ていました。

　後付けだったかもしれませんが、ダム端（頭のない端末）と呼んでいました。

　しかし、PCは、趣味の世界から主に社内の技術部門で徐々に使われ始めてきました。

　当時は国内ではNECのPC-8801、そしてPC-9801になるとさらに存在感を増して事務用途にも使われ始めました。

　私の勤めている会社は、技術職が社員の半数近くを占めていました。

　こういった人たちは、趣味と仕事の領域が重なっていてしかも、効果が確定していなくてもトライアルで機械を買って様々な用途を試してみるという気風にあふれていました。

　ちまたでは、プログラム言語の一つのBASICの講座がはやり始めていて、仕事帰りのサラリーマンがこういった教室に通っているという話も耳にしていました。

　入出力装置としてテレビ画面があり、CPUで計算し

て、場合によっては小さなプリンターに出力し、ハードディスクに記録する。

　また、ごく小さなテープリーダーが付いている事もあったかと思います。

　大型コンピュータの基本機能を思い出していただきたのですが、その全てが小型化して存在していました。

　プログラムは直接画面から、入力して登録できる。

　これらの基本的な機能において大型コンピュータと全く変わらなく最早おもちゃとは言えなくなっていました。

　大型コンピュータは、多くのスタッフで分業され、また莫大な費用がかかっていて一つのシステム化についてもじっくり時間をかけて行われます。

　一方で、パソコンは一人一人の利用者がBASICなどのプログラム言語を知っていれば、その場の思い付きで様々な工夫を、短時間で実現できる良い面がありました。

　またそれを作る人が、中央ではなくて現場に近い事が多かったのです。

　ただ、機械としては大型コンピュータと同様の限界がありました。

　当時のテレビ画面から、データも、プログラムも入力できる点では、大いに操作性は良くなったのですが、画面での処理能力は、現在のパソコンとは大きく異なります。

　まず現在の画面は、GUIといって画像を含めた優れた表現力がありますが、当時はCUIです、グラフィカルユーザーインターフェースではなくキャラクタリステックユーザーインターフェースです。

　つまり、文字しか表示できずもちろんモノクロでの表示ですので、決まった枠の原稿用紙に入力するイメージです。

　そういう意味では、パンチカードと同じです。

　またその画面は、今のように液晶ではなくブラウン管の奥行がある大きなしろものです。

　そしてまだ日本語が扱えず、英数字とせいぜいカナしか入力できずプリントアウトもできなかったという意味でも大型コンピュータと同じ制約にありました。

　そして、大きな要素ですが、一部の専門部署、専門の会社が利用を独占していた状態から、一般の社員や、家庭に開放したという点では画期的だったのですが、それでもBASICなどのプログラミング言語を覚える事が必須だった点でまだ限られた人しか使えなかったと言えるでしょう。

　オフィスの機械化という意味では、パソコンとは異なるもう一つ重要な流れが発生しつつありました。

　それがワープロです。

　一般のオフィスワーカーにとってパソコン以上に重要な変革を特に日本においてはもたらしました。

　大型コンピュータやパソコンでさえも届かない現場の

事務の領域にやすやすと入り込めたのは、その日本語処理能力ゆえです。

　そして、一般の事務処理現場で最も必要とされた機能は文書作成です。

　欧米では早くから簡単な機能であるタイプライターが普及していましたが、日本では漢字がネックになり文書作成は長らく一般文書は手書き、公式文書は各社にタイプ室があり、専門のタイピストを雇っていました。

　稟議書なども手書きで作られ、当時はそれぞれの起案者の筆跡に個性があり、この人の起案は、斜め右から読むと丁度いいなどとかつてな批評をした覚えがあります。

　漢字を素人が、簡単に入力するためには、多くの工夫が必要でした。

　まず入力の機器ですが、当時和文タイプの機械は、無数の漢字が活字として用意されておりそれらを職人技で素早く拾って印字させるものでした。

　英数カナのキーボードはありましたが、そこからどうやって漢字に変換するかが工夫されカナ漢字変換という方式が編み出されました。

　カナで読みを入力して、画面上に該当する漢字を全て並べその中から合致する文字を選択する。

　当時はまだるっこく感じたその方法しか日本人が文書を入力する方法はありませんでした。

　IT化の出発点で日本および日本人は大きなハンディ

をしょっていたと言えるでしょう。

　タイプライターのような単純な機械ではこの問題は解決する事はできなかったので、電子的な機器の登場によってこのハンディが克服できたとも言えるでしょう。

　この克服のためには、漢字のコード化という大きな問題がありました。

　英数字カナだけなら、簡単なコードで電子的に識別できます。

　漢字は無数にありますから、これをそれまでのEBSDICコードからJISコードに替え大きな桁数で表現する事で無数にある漢字がコード化されました。

　またこれを視覚的に表現するためにフォントを作りディスプレイに表示したりプリントアウトできるようにしたのです。

　こうして、またたくまにワープロは日本のオフィスに広まっていきました。

　富士通のオアシス、シャープの書院、NECの文豪など当時の日本の電子機器メーカーが切磋琢磨しそれぞれ独自の方式で開発していきました。

　私の課にも大きな机一つ分のワープロが入りみんなで共有していました。

　たしか300万円以上はしたと思います。

　それが、非常に小さくポータブルになって一人一人の机に乗るようになり値段も10分の1以下になっていきます。

　これらは日本独自の進化とも言える一方で、英語以外の言語の電子化に共通の現象でもあり、のちにパソコンの世界的な広がりの時に、標準化の問題としてふたたびあらわれるのです。

　当時は、オフィスの機器は、ワープロそしてオンライン端末、パソコンが混在しそれぞれが別々に進化しそのうち融合していくのです。

　パソコンが、ワープロの日本語処理機能を取り込むのに時間はかかりませんでした。

　当時のパソコンは、各メーカーがそれぞれ独自の方式で制御していました。

　今で言えばWindowsという標準的なOSがあるのに対して当時はMS-DOSという共通のOSでありながら富士通、NEC、IBMなどがそれぞれ独自に日本語化していました。

　現在で言えばMacが独自OSで動いていますが、日本では全てのPCがワープロ同様別々のOSだったわけです。

　パソコンが一般の人に利用されるようになる時、日本語が扱える事は大きな進歩でしたが、もう一つのハードルはプログラミング言語です。

　これを覚えなければパソコンは役に立たなかったのです。

　一般の人が、プログラムを覚えなくてもパソコンを使えるようになるためには、それぞれの用途に応じた市販

52

のソフトウェアが必要です。

　こうして必要に応じて、すでに別の人が組んだソフトウェアパッケージを購入する事が始まりました。
「パソコンもソフトがなければただの箱」です。

　この時、ワープロ機能をソフトにしてパソコンに取り込む事が、パソコンを普及させる上で大きなテコになりました。

　代表的なソフトが一太郎です。

　とはいえ文書作成能力では、一日の長があるワープロと比べればわざわざパソコンを選択する意味は薄かったと思われます。

　その時、現れた定番ソフトが表計算ソフトです。

　マルチプランはそれまでビジネスの中心であったハードウェアから、はじめてソフトウェアが主導権を奪おうとした最初のソフトであり、その後この世界を方向づけていくマイクロソフト社の製品でした。

　ワープロと異なり、本来コンピュータが得意とする計算機能を、人間のオフィスでの作業に即した表作成という身近な業務に着目して実現したものです。

　専門的なプログラム言語を覚える事なく、人それぞれ、また企業や組織によって様々に存在する表を、そのまま電子化し高速に計算できる魔法のツールでした。

　大型コンピュータがとても届かない個人の領域の仕事をまさにパーソナルに電子化、自動化し事務作業を軽減する契機になりました。

(3) IT部門の動揺

　当時はIT、ないしはIT部門という言葉はありませんでした。

　電子計算担当、コンピュータ部門、その後情報システム部門などと呼ばれていたように思います。

　私がいた（大型の）コンピュータ部門から見るとまさに遠い世界で、我々とは縁が薄く関係ないと考えていたパソコンというおもちゃが急速に力を得て自分たちの目の前に現れてきました。

　これにどう接すれば良いか様々な判断が求められるようになってきました。

　入社して7〜8年が過ぎ私が30歳になった頃でした。

　それまで技術屋さんのおもちゃあるいは専門の測定機械程度に考え無視していたパソコンが事務部門で使われるようになり始め、会社としての判断を情報システム課に求められるようになりました。

　地方の営業所でパソコンを1台導入したいという要望があがりました。

　私はその是非を判断するためにわざわざ飛行機に乗って出張し、説明を聞き一泊して本社に帰ってきました。

　たった1台のPCのために往復の航空運賃と宿泊費そ

して営業所では接待費用までかけるなんて今では考えられないことです。

　その頃PC-9801の導入でも150万円程度の費用がかかりました。

　それまでのIT部門は、社内のコンピュータ処理をいわば独占していました。

　当時のIT組織を風刺をこめて描いたイラストが雑誌に掲載されたのを今でも覚えています。

　大型コンピュータの前で、神主のような人が、祝詞をあげています。

　その後ろから、大勢のビジネスマンが首を傾けながら眺めている、そんなイラストだったと記憶しています。

　特殊なコンピュータ言語を操り、おろそかに扱うと大変なリスクを伴いますと経営者には伝えながら訳のわからない専門用語を並べて高価な機械を独占的に扱う。

　IT部門はそんな存在に見えていたのかもしれません。

　他部署には理解を越える特殊な部門だったので、同じ立場で口をはさむものはいませんでした。

　ところがそこに現れたのがパソコンでした。

　高価なコンピュータは本当に役に立っているのか。

　漠然とした疑問を持つ人は多かったのかもしれません。

　当時、私たちの会社には、多くの技術者がいました。

　彼らは当初、自分たちの趣味や研鑽の目的から、途中からは測定など技術的な用途からパソコンを使い始めま

した。

エンジニアですから、コンピュータの動作原理の理解はお手の物です。

またCOBOLとは異なりますが、BASICなどのプログラミング言語を簡単に習得し、現場の課題を解決していきました。

また全国の営業所にもそれぞれエンジニアがいて彼らは連携しあい情報共有していきます。

営業所には、事務部門もそれぞれあり、以前から伝票発行機を使い本社コンピュータ部門と紙テープや後にはフロッピーディスクでデータのやり取りを行っていました。

それが、オンライン化され本社のコンピュータと直接つながり本社で作成したプログラムで動くようになっており、受注処理、在庫管理などを行っていました。

技術部門と事務部門は営業所では机を並べて仕事をしていてお互いの仕事や悩みなどもよくわかっていました。

エンジニアたちは、事務部門の現場の悩みに耳を傾け、受注処理プログラムの使いにくさやレスポンスの遅さに対して自分たちの技術を使う事を考え始めます。

本社のコンピュータ部門は、もちろん現場の声をもとにプログラムを作成するためにシステムの導入時にまとめてヒアリングを行いますが、それ以降はなかなか要望のたびに改良に時間をさく事は難しくなります。

　一方で、常に現場の悩みに接している現場の技術者たちは、細かな要望も取り入れて自分の仕事をさておきボランティア精神で改良を重ねていきます。

　中央からはとても見えない周辺部分まで気を配ったパソコンシステムを素早く立ち上げていきます。

　本社のシステム部門のようにあらゆる部署あらゆるケースに対応できどの場面でも間違いのないよう検証を重ねるのではなく、とにかく試作でも良いので現場に使ってもらう、そして違っていれば直す。

　全ての部署、全てのケースに対応できなくてもその営業所に合っていればOK。

　100回に1回あるようなケースのために時間をさく事はしない。

　こういった精神で、本社が躊躇しているような局面でもどんどんプログラムを作って動かしてしまう。

　こうした進め方は現場から見た時は、頭の固い現場を知らない本社のシステム部門には何度言っても聞いてもらえなかった事が、目の前で次々実現していく。

　頼もしい人たちだったでしょう。

　これは今につながるシステム開発の考え方の大きな違いとなっていきます。

　またパソコンの登場がこの考え方を成り立たたせたのでした。

　システム部門は、現場に寄り添った事務処理の改善のあり方からは少し遠ざかっていたのかもしれません。

　実際、現実の事務処理の現場と、大型コンピュータの
できる事とはかなり乖離がありました。

　またCOBOLの専門家と現場の距離も大きいものがあ
りました。

　システム部門が対象とする業務や事務処理は、当時の
大型コンピュータが得意とするものです。

　大量のデータ処理でありまた各部署にまたがった共通
の定型的事務処理手順をベースにするべきでありその選
別を経たものです。

　一方現場には様々な種類の細切れの事務処理が存在
し、それらを一つずつ拾っていてはきりがないと思える
のももっともです。

　現場の事務処理には、文書作成があり、電話があり、
スケジュール管理があり営業資料の準備などがありま
す。

　必ずしもシステム化されず手作業で処理されている多
くの事務処理が存在しました。

　システム部門は事務処理の合理化を任されていると自
認していましたが、必ずしも事務処理全体が見えている
訳ではありませんでした。

　そういう意味では、大量の定型的な事務処理から離れ
た大型コンピュータから少し遠い世界は伝統的に総務部
門の管轄でした。

　稟議作成などの文書管理、電話、コピー機などの機器
の管理、そしてワープロによる文書管理の電子化が加

わってきました。

　私の会社ではこの頃、総務部が中心になって、そこに各営業所や本社部門の技術者が参加した事務合理化委員会が立ち上がりました。

　そしてここには、システム部門は参加していませんでした。

　我々システム部門のメンバーは少し違和感をいだきました。

　ただ文書管理が自分たちの仕事であるとも思っていなかったので、あまり関係ないと思う気持ちもありました。

　しかし、課長は違いました。

　システム部門の責任者として、相当ないらだちを感じている事が部下にもわかりました。

　多かれ少なかれ日本全国のシステム部門は当時その大小を問わずこのいらだちを含む複雑な感情を共有していたと思います。

　そして現実にこのあたりから、この部門の位置付けは大きく揺らいでいくのです。

　自分たちが会社の事務合理化をリードしてきたというプライドと同時に、将来に対する漠然とした不安、今まで自分たちが努力してきた事が意外にも支持されていないという空しさ、自分たちの専門技術と解決すべき対象との距離など複雑に入り混じった気持ちが、それぞれ濃淡を交えて広がっていきました。

我々にも問題はあったと思います。

現場と乖離し全体を俯瞰し本質を感じ取る想像力を失っていきその時点のコンピュータのできる事、プログラム作成の制約にあまんじていた事です。

ある程度やむを得ない事でありかつ人材が不足していた事など後付けではいろいろ論じる事はできます。

結果として、時間をおしまず献身的に現場のシステム化を進めた技術者には頭が下がりますし、現場からの合理化という点で新しく出てきたPCはマッチしていたと思います。

また現場に対しても経営に対しても全体を踏まえた説得力という点で、システム部門からの従来の説明が通りにくくなったのは事実だったと思います。

(4) 社会とコンピュータ

コンピュータをめぐる社内の力関係がどうであろうと、社会の中でコンピュータはどんどん身近になってきました。

コンピュータなんて一生目にしないと思っていた人たちが、自分の職場に小型化した電子機器が次々入ってきて、自分たちの仕事がコンピュータなしでは実は動かなくなっている事を少しずつ実感させられていきます。

　入社当初は、専門部署の職場の中でしか聞かなかった単語が、やがて電車の中のそれとない会話の中に少しずつ出てくるようになりました。

　会社の中で一部の人たちが部門が独占的に握っていた仕事が、社内の広い範囲で共有されるようになってきました。

　職場だけでなく家庭の中にも、そして教育の中にも着実に入り込んできました。

　当初、オフィスで見かけた電子機器は、大型コンピュータの端末で、次にワープロそしてパソコンと変化しました。

　先に述べたようにパソコンが、日本語処理をものにするようになり、ワープロを吸収しました。

　日本独自の文化として発展したワープロも、それ自体の日本語処理が電子的に実現されているのでコンピュータに取り込む事はもはや難しい事ではなくなっていたのです。

　日本のパソコンは、この日本語の取り込みにおいて独自性を発揮し、MS-DOSという標準的なOSをも日本語化して海外製品に対して障壁を作り独自の発展をとげる事ができました。

　まさに、当初のハンディキャップを逆手にとったのです。

　その中でもNECは、PC-9801のヒットで、日本のパソコン市場を独占しまた、NEC独自のMS-DOSで動く

多数の人気ソフトを抱えながら、これらのアプリケーションを開発する企業グループを形成していました。

　この牙城は、国内メーカーも、海外のメーカーも手が出せない。

　そういった状況が永遠に続くかと思わせるそんな時代でした。

　様々の会社が様々のアプリケーションを競って開発し、ゲームソフトも含めて家庭にもPCが広がっていきます。

　また会計や給与計算など、ビジネスに関わるパッケージが現れ、小規模の事業所で使われるようになってきました。

　やがてこれらは、オフコンの市場を侵食し始めました。

　大企業のオフィスにおいてもワープロを吸収し、表計算ソフトを搭載して大型コンピュータの届かない独自の領域を確保していきます。

　そして現実に現場の事務合理化に影響を及ぼし、OAすなわちオフィスオートメーションあるいはEUC（エンドユーザーコンピューティング）と呼ばれ始めました。

　そこではシステム部門の影は少しずつ薄くなっていきます。

Ⅲ．ダウンサイジング

（1） 大型コンピュータの反撃

　各地の営業所では、机を並べた技術者たちがボランティア精神であるいは、技術者としての好奇心から、営業所の事務処理のために様々な工夫をして事務処理を機械化していきました。

　私の会社でもOAが始まっていたのです。

　ただこの献身には欠点もありました。

　ボランティアですから、すべての検証を満たしている訳ではありません。

　その事情を事務担当者と技術者があうんの呼吸で理解しあっている場合にはいいのですが必ずしもそうとは限りません。

　またデータ作成後、最終的に本社に送るためには、どうしても端末機能を使わなければなりません。

　その営業所に、たまたま優秀なプログラム能力を持った技術者がいればいいのですが全ての営業所で同じ対応ができる訳ではありません。

　そして最大の問題がメンテナンスです。

　プログラムは、一度作ったら終わりではありません。

　取引状況や会社の施設、方針、取引を取り巻く環境は常に変化しています。

　これに合わせてプログラムも変えていかなければ使えなくなってしまいます。

　たとえ最適のタイミングで即興的に優れたプログラムを作っても時がたてば劣化していってしまいます。

　また、作った技術者が転勤でいなくなってしまえば最悪です。

　プログラムは他人の作ったものをメンテナンスするのはわかりにくいものです。

　機械が理解するためのコードではありますが、あくまでも言語です。

　論理構成や手順なども、作った人の個性が出てきます。

　他人の作ったプログラムはいじりたくない。

　これは全てのプログラマーの本音です。

　本社の専門部署では、プログラム作成時に他人が見てもわかるように、コーディングをわかりやすくしたり、標準化の努力をします。

　また常に継続的に、人を手配、教育する事でどのような異動があろうが、全国の営業所、事務所に対して均一のサービスを継続して提供する事に責任を持っています。

　究極には、この事が本社のシステム部門の存在理由であったかと思います。

　大型コンピュータも長年変えなかったやり方をPCの浸透に合わせて対応し始めました。

　日本においては、パソコンも大型コンピュータも同じメーカーが作っていました。

　大型プリンターもそれまでの活字で印刷する方式から、ドットインパクトプリンターになり漢字だけでなく罫線などのフォームもプリンターで印字できるようになり格段に見やすくなりました。

　このため、それまで帳票ごとに掛け替えていた専用の用紙はなくなり、罫線を含むフォームごと印刷できるようになりました。

　パソコンやワープロと机を並べていたオンライン端末も漢字が表示できるようになり変化していきます。

　オンライン端末は、本社にある一元化されたデータベースから最新の情報を得る事ができます。

　このネットワークを使ったデータの一元管理は大型コンピュータならではのメリットでした（集中処理）。

　ただ、この利便性とは裏腹に、全国の現場、私の会社では営業所でしたが、利用時間帯が適当に分散してくれれば良いのですが普通は集中します。

　このためこの時間帯は著しく反応が遅くなるのです。

　そして営業所から見ればこの時間帯が忙しいのです。

　しかしこの時間帯に合わせて設備を増強すると費用が一気に上がります。

　当時のパソコンのように、それぞれ単体で動作する（分散処理）ものではないという集中処理の弱点がありました。

　処理によっては、全てが本社のデータベースに問合わせなくても良いものがあります。

　また完全にリアルタイムでなくても良い事はあります。

　このため端末にある程度のコンピュータ機能を持たせて処理の一部を分散させようという考え方が出てきます（インテリジェントターミナル）。

　また端末をパソコンに置き換えてしまいある時はパソコンとしてワープロや表計算処理をある時は端末になり替わる事ができるようにする事などが行われるようになりました（エミュレーターソフト）。

　こういった端末には、富士通のF9450や、NECのN5200などがあげられます。

　これらのパソコンは、MS-DOS系のパソコンとは異なるメーカー独自のOSを持つもので、端末とワープロ、パソコンが一体となった1台3役などを売りとしてメーカーは力を入れていました。

　これで大型コンピュータとその端末で、PCに奪われた役割を回復しまた従来大型コンピュータの苦手としたワープロや表計算もその傘下に収めようとしたのです。

　会社のシステム部門もこれに乗りました。

　今まで素人の技術屋さんにかき回されていた事務処理の世界での主導権を一気にとりもどせると思ったのでした。

　従来のパソコンを使った事務処理の合理化も、システ

ム部で統括する事になり私はその担当として任命されました。

　私は従来の大型コンピュータによるシステム開発とは違う世界に自分の活路を見出す事ができるかもしれないという期待感の一方である不安を感じていました。

　それはパソコン利用の第一線では自分たちと立場を異にする人たちがいて上司とその人たちの間に自分が身を置かなければならないことでした。

　しかもその技術者たちは、自分の同期であったり先輩であったりと心情的には上司より身近な人たちでした。

　自分の進む先に期待と不安がないまぜになっていたのは30歳を過ぎた頃でした。

　主任には昇格しましたが、システム開発から外れ、目の前には今までと全く異なる新たな仕事が待っていました。

　それでも入社して10年、私は結婚して家庭を持ち前に向かって進もうという気持ちが勝っていました。

　当時の日本は80年代後半のバブルの中、アメリカを追い越すのも間近と思えるまだ元気な時代でした。

　社内のパソコン推進については、それまでのソフト開発や、オペレーションとは全く手法が異なり、一から手さぐりで進めざるを得ませんでした。

　まずは当時のパソコン推進で先進的に活動をし大手メーカーでOA推進を担当されていた方の講演を聞きに行きました。

　そこで我々とは全く違う進め方を聞きその魅力的な考え方に驚かされました。

　その人いわく「まず部内で松田聖子を養成しろ」でした。

　社内で新しい事を広めるには、まず若手からと思っていたのですがまずは各部署の上司から攻めて啓蒙せよという考え方です。

　おじさんたちを攻めるにはガチガチのエンジニアではなく親しみやすい女性たちを養成して各部署に派遣しなさい。

　これは頭の固い情報システム部門の発想ではありませんでした。

　そのまま実践した訳ではありませんが、まずは上司から攻めパソコンの良さを理解してもらう事から社内の普及が始まると考え、管理職向けのパソコン講習会を企画しました。

　講習内容は表計算ソフトで、当時の情報システム部門の方針で富士通のPCを選んでいましたので世の中一般また社内でも先行していたマルチプランではなくEPOCALCという富士通独自のソフトを使いました。

　参加者には、営業、事務から技術部門まで広く管理職を招き操作の手ほどきをしつつ表計算ソフトの威力を実感してもらおうとしました。

　そしてビジネスに役立つことを実感させるために、講習の素材としては私たちの会社の主力商品についての売

上データを使いました。

　当時からあった民力という統計データも使い都道府県別の商品の消費額を表にまとめたものをあらかじめ用意し、またそこには都道府県別の人口データも合わせて入力しておきました。

　参加者にはその表の最後のところだけ仕上げてもらうというシナリオです。

　当社の主力商品の県別消費を人口で割って一人当たりの消費額を出してもらうという仕掛けです。

　結果としては、東京、大阪とは違うある地方の意外な県が一人当たりではその商品を最も消費しているという結果があっという間に自分のパソコンに表示されるのです。

　そしてその県には、この会社の人間ならだれでもがぱっと連想できる大手の取引先が存在する事と結びつきます。

　簡単な関数を一つ入力し、それを複写するだけで納得できる事実が浮かび上がる。

　我ながらうまい仕掛けの講習会であったと今でも思っています。

　PC98上のマルチプランとの違いをどこに求めるか、当時の課長は、情報システム部門が主導する新たなパソコン推進のコンセプトをまとめ社内に公表しました。

　ホスト（大型）コンピュータ※とパソコンの連携です。

　ホストコンピュータに蓄積されたデータをパソコンで活用するという方向性が示されていました。

　当時のパソコン利用の欠点は、入力を全て手打ちにしなければならない事でした。

　せっかく大量のデータ処理ができるPCでありながら大半の時間をデータ入力という非効率な作業に費やすという矛盾がパソコンだけでは解決できなかったのです。

　そこにホストコンピュータと直結し、かつパソコンの機能を持つワークステーションと呼ばれるデバイスの可能性を感じまたそこに情報システム部門が主導権を取り戻す鍵を見つけたと感じたのでした。

　※ここまでパソコンとの対比上、大型コンピュータという言葉を使ってきましたが、ホストコンピュータという名称が一般的でした。

　より専門的な呼称としてはメインフレームという用語も使われます。

(2)　本社OA推進の挫折と迷走

　理念は良かったのですが、ホストコンピュータにあるデータの取り込みはそう簡単にはできませんでした。

　本来、エンドユーザー主導で進めるべきOAを、本社主導で引っ張る事に無理があったとも言えます。

　事態をさらに複雑にしたのは、同じ本社の経理部がホストコンピュータの中にあった会計システムを独立させその端末を各営業所に配り始めたことです。

　思わぬところから、さらにシステムの分散化が始まってしまいました。

　こちらは、NECです。

　そして端末はN5200、情報システム部門が導入した富士通F9450のライバル機ですが同様の発想で生まれたワークステーションで独自のOSそして独自のワープロソフト、表計算ソフト、そしてエミュレータ機能を持っていました。

　LANWORD、LANPLANです。

　ご記憶の方もいらっしゃるかもしれません。

　このようにして、わが社のOA施策は混とんとしていきました。

　本来、現場の様々なニーズに適時、適切にフィットした事務の合理化を図るための仕掛けが当時の私たちだけで制御できるはずもなく、またホストデータの活用も、専門部署内で複雑に組み立てられたファイルを現場で取り扱う事の難しさ、表計算ソフトやデータ取り込みツールの成熟度の不足に妨げられ思うようには進みませんでした。

　我々が次に活路を見出そうとしたのが、データベースソフトです。

　富士通からは、ワープロ、表計算ソフトが提供されて

いた事は、すでにお話ししましたが、その他に
EPOACEというデータベースソフトも提供されていま
した。

　我々COBOLで育ったソフトウェアを経験した者から
見た時、率直にその簡単さに新鮮な驚きを感じたもので
す。

　表計算ソフトはあくまでも、それまで紙で展開してい
た表という概念をベースにコンピュータの機能をあては
めたものでした。

　この概念だと、あくまでも表に収まる範囲での事務処
理しかカバーできません。

　コンピュータの得意とする大量データの処理を突き詰
めると、どうしてもファイルというそれまでホストコン
ピュータの世界で積み上げられてきた概念に戻らざるを
得ません。

　パソコンにおけるデータベース型のソフトとは、そう
いったホストコンピュータの世界で積み上げられてきた
COBOLなどのアプリケーションの考え方を大胆に簡単
にしたものでした。

　コンピュータのプログラムは、このファイルをどう書
き出すかの機能をCOBOLという言語で文章化し定義し
たものです。

　データベースソフトは、この定義を図で表現したよう
なものでした。

　ファイルの項目表を横並びに図にして、項目ごとに枠

を作ります。

　そしてその枠の中に、その項目をどう作るかを日本語で定義するのです。

　その項目は、どこから持ってくるのか。

　あるいは持ってきた値をそのまま書き込むかあるいは、計算して結果を書き込むのか。

　一目瞭然で理解できます。

　その出力がファイルではなく、印刷である場合、画面である場合なども同様に定義します。

　それまでCOBOLなどの言語で定義していた方法を実にわかりやすく表現する事ができました。

　システム部門の立場からすると、これこそが本当のコンピュータ利用を、専門家である情報システム部門ではなく一般の部門でも開発できると考えたのです。

　一方で、システム開発に関わる過重な負担を少しでも分散し、応えきれない利用部門の要望を少しでも自分たちで実現してもらおうという目論見もありました。

　私たちは、比較的懇意にしていてまた近くで協力しあえる本社の販売を統括する部署に話を通し、若手の優秀な人間に白羽の矢をたてました。

　販売部門向けには、様々の月報を作成していましたが、それを自分たちで様々に加工、編集できればタイムリーな販売分析につながります。

　プログラム開発の立場から見れば、あまり頻繁に帳票フォームの変更があれば非常に効率が悪く手間がかかり

ます。

　であればこの部分を、システム部門から切り離し、自由に変更してもらうという事は理に適っていると思えました。

　担当した若手がこのソフトを覚えるのにさほど時間はかからなかったと思います。

　ただ我々から見れば簡単と思えたソフト作成も、素人には時間がかかります。

　本業がありながら、ソフト作成にも相当の時間を費やしさすがに若いとはいえ疲れたと思います。

　毎日毎日残業が続いていました。

　これでは我々の残業をただ移しただけではないのか。

　そういった疑問を感じながらもシステムは動き出しました。

　しかしこのような負担をこの部署に再び強いる事はもうできませんでした。

　システム開発には、ソフトウェアの作成が必要で、データベース型のソフトが、それまでのCOBOL等と比べるとはるかにわかりやすくかつ表計算ソフトと比べると単なる身の回りの計算、作表の効率化に留まらない本格的な事務処理に適用できる事は確かです。

　ただ本格的な事務処理には、簡単なソフト作成だけではなく、全体としてのシステム設計やそれ以前の事務の分析、また会社の業務などでは他の業務との関連や他部署の業務との関連、整合性、部門を越えた統合的なシス

テム設計とその技術が必要になります。

　まさにその部分が情報システム部門の存在理由であると思います。

　データベース型ソフトを使った小規模システム開発はその後他部門を開発に巻き込まずシステム部門の中で、私ともう一人の担当者でこぢんまりと続ける事となりましたが、まさにシステム部門の中にさらに小さなシステム部門を作る事となりその手法が異なる事でシステム開発の効率を落としているのではないかという迷路の中に入り込んでいきました。

　さて先陣をきってスタートした技術屋さんたちによるOAの展開も変化にさらされます。

　表計算ソフトでできる事の限界から、またBASICなどのソフトもCOBOLと同様にファイルという概念に親和性があり、データベース型のソフトを使いより本格的なソフトを作る方向性は同じでした。

　富士通の傘の中で我々が選んだEPOACEとは別に、MS-DOS陣営では、桐という国産ソフトが普及していました。

　むしろ世の中ではこちらの名前が通っていたかと思います。

　このソフトの解説書は書店にもたくさんありました。

　MS-DOSは日本では、日本語という独自の対応が必要なため、NECのMS-DOS、富士通のMS-DOSとそれぞれのメーカーごとの仕様で提供されており、その中でも

NECは独占的な地位を確立していました。

　前述の桐を作成した管理工学研究所もNECのもとで多くのソフトウェアを世に出しており、ワープロソフトの松なども同社の製品です。

　ちなみにワープロソフトは、ジャストシステムの一太郎が一歩先を行っていたかと思います。

　そんな日本の市場に現れた黒船が、DOS-Vです。

　それまでは、パソコンで日本語など2バイト文字はOSでは扱えず日本メーカー等が提供するハードウェアの機能に依存していたのがOS自体に日本語を扱う機能を追加したためどのようなハードウェアであれ日本語を扱う事ができるようになりました。

　NECをはじめとした国産メーカーは、この日本語の壁に安住していました。

　DOS/Vの登場により、日本以外の世界中で標準となっていたPC-AT互換機が安い値段で国内でも使えるようになります。

　NECの王国の終わりの始まりでした。

　同時に、富士通など国産メーカーもDOS/Vに乗り換えPCの価格は下がっていきます。

　この後、会社ではパソコンは各課に1台の時代から、1人1台の時代に向かっていきます。

　ソフトウェアもハードウェアと同様に、互換性、標準化という経済原則に従い独自の様々なソフトウェアは淘汰され世界中でほぼ一つのものにまとまっていきます。

　日本のようにメーカーごとに様々のOSと様々のオフィス用アプリケーション特に表計算ソフトが乱立する事自体ありえないのでした。

　富士通独自の仕様で端末も兼ねたF9450シリーズパソコンの路線に乗り、表計算もワープロもデータベースソフトもこの独自のシリーズを社内で普及させようとした我々の部門の試みもあえなく終わろうとしていました。

　その後、富士通が独自路線を放棄した後、上司と二人で飲んでいた時、かつてなく弱気な恨み節を聞く事になります。

　しかし社内の小さな勢力争いをはるかに超えて、世界中で大きく時代は変わっていくのでした。

　ハードはインテル、ソフトはマイクロソフトのWintelに世界は染まっていき、PCはコモディティー化し日本メーカーの輝きは失せていきます。

　アメリカを追い越すばかりの日本の勢いもバブル崩壊とともにみるみる失われ、世界は冷戦構造の崩壊という変化の只中にありました。

　昭和が終わり、平成の長い低迷の始まりでした。

(3) PCのさらなる進化（ネットワークとの結合）

　さて話を、ホストコンピュータ対PCに戻します。

　ホストコンピュータの最大の武器となったネットワークですが、本社ビル内では専用ケーブルで、全国各営業所間は電電公社の回線で接続されていました。

　この内、建物内の配線については、LAN（ローカルエリアネットワーク）と呼ばれる新しい考え方が現れました。

　我々の会社の中でもまたもや技術屋さんたちが、何やら床の上に線を這わせてサーバーとやらを置きネットワークを利用した新たなツールを試し出したのでした。

　それは何やらお互いの連絡などに便利な代物で、彼らはそれを「eメール」と呼んでいました。

　その時点では、その意味合いを理解していませんでしたので、同じフロアー内でなぜわざわざコンピュータを使って連絡を取り合うのか不思議でした。

　その時、PCの持つ通信機能はせいぜい建物内でしたが、建物の外まで繋がる通信手段が立ち上がってきた時それらは革命的な変化をもたらします。

　それがインターネットです。

　私と技術屋さんたちとの関係も年を経る毎に少しずつ変化してきました。

　当初は、一回りも違う管理職や、先輩、同期たちでしたが、私よりも後輩が数多く入ってきました。

　そうした若い人から、一冊の本を紹介されました。

　インターネットが始まった頃のアメリカの若い研究者の物語だったかと思いますが何か新しい時代を開くわく

わく感が伝わるようで目を見開く思いがしました※。

その後、eメールとは何かという講演会に出席し、その意味を理解しました。

当時は、全国各支店間での連絡をはじめビジネスに関わる連絡手段は電話でした。

手紙は公式文書例えば稟議書や通達などは文書で配布、伝達されましたが、多くの連絡は電話を使用していたかと思います。

電話は話し中があります。

話し中だと仕事が中断されてしまい、その先に進みません。

その仕事を後回しにする事もできますが、忘れてしまったり、大事な連絡や確認事項がある時は何度もかけ続けるか返事を待つしかありません。

これに対して電子メールは、非同期性がその本質であると、講演会の先生はおっしゃっていました。

電話は同期性の連絡方法で、こちらと相手の通信は同じタイミングでないと成立しません。

非同期という事は、相手と同じ時間帯でなくとも自分の都合でどんどん情報を送り確認を求める事ができ真す。

格段に仕事の効率は上がったと思います。

とはいえその時はまだメールの届く範囲は、本社ビル４階のフロアー内に限られていました。

その頃の新聞に、未来のオフィスとして描かれていた

一コマを覚えています。

　未来のビジネスマンが朝一番にやる事。

　それがメールチェックでした。

　そのイメージが実現するには、長い時間はかかりませんでした。

　しかしメールが現在のように、世界中とやりとりできるためには、もう一つ新たなツールが必要でした。

　それを説明するには、私個人のパソコンとのかかわりを話さなければなりません。

　私は会社では、MS-DOSではなくて、富士通独自OSを進めていました。

　私個人は、しばらくの間、自宅ではコンピュータを持ちませんでした。

　会社であきるほどコンピュータと接していましたのでうちに帰ってまでPCと関わりたいとは思っていませんでした。

　最初に使ったのは、義理の弟から贈ってもらったEPSONのPC98互換機で、使ったソフトはワープロの一太郎でした。

　その後自分で最初に買ったのは、Windows95パソコンでした。

　世間ではDOS/Vの流れが始まって、Windows3.1を経てWindows95がそれまでのパソコンの流れを一気に広げ、一般の人たちが家庭にパソコンを置く事を普通にしていきました。

　Windows95は、インターネットへの接続を最初から意識していました。

　そうです。

　もう一つの大きな要素はインターネットでした。

　パソコンを通して世界中と繋がる。

　世界中の情報を得る事ができる。

　これは革命的な変化でした。

　以後、一般の人がパソコンを使う大きな理由が、インターネットに接続する事となります。

　インターネットに接続して何をするか。

　WEBブラウザーを使ってホームページを見る事ができるようになり、しかもこれらは無料で利用できました。

　この原理やここまでの経緯については、世の中にあまたの解説がなされているのでここでは省きます。

　世の中の進化の多くがこのステージで成し遂げられ、この中で多くのエンジニアが技術を競い合い、多くの伝説やヒーローが生まれこの分野は大きく広がっていきます。

　私が自宅で始めた頃は、WEBブラウザーも現在のようにエッジや、クロームではなくネットスケープナビゲーターと呼ばれるものが主流でした。

　またインターネットの接続も、現在のように簡単ではなくアナログの電話線を使っていました。

　パソコンにモデムという変換機を付けて接続されるま

での、長い時間とジーコジーコという接続音を覚えていらっしゃる方も多いのではないでしょうか。

　インターネット以前には、このモデム接続を使ったパソコン通信という利用方法があり、現在のインタネット利用の原型がここで形成されていました。

　この時点では、私の家庭でのPC体験と、会社でのコンピュータの仕事との間にはまだ距離がありました。

　※書名は忘れてしまいましたが、後から調べたら多分「インターネットはからっぽの洞窟」クリフォード・ストール著だったかと思います。

（4）　システム部門の変容、衰退

　情報システム部門主導のパソコン推進を進めようとした課長は、その後物流分野でのコンピュータ利用に意欲を示し、倉庫に簡易端末を置き在庫管理を効率化しようとしましたがうまくいかず結局、情報システム部門を去る事になりました。

　なんと次の仕事は、社内でのメールシステムの正式導入を専任で一人で担当するというものでした。

　対極への転進としては見事なものでした。

　情報システム部門のコンピュータルームの隣に小さなサーバーを１台置いた専用の一人部屋を作りそこで支援

してくれる業者の技術者と二人でこつこつと仕事を進めていきました。

　サーバーはWindowsNT、そしてメールソフトはロータスノーツを導入しました。

　そしてそれまで対立していた社内の技術屋さんと連携しながら社内システムを実現していったのです。

　それまでの技術屋さんのパソコン利用の流れを一気にオフィシャルなものに仕立てあげました。

　全国各営業所にも、メールサーバーをそれぞれ設置し、1日1回同期をとる仕組みだったのでリアルタイムで営業所、本社間の連絡がとれるわけではありません。

　それでもメールシステムを入れるだけでなくグループウェアまで導入したのはあとから思えば先を見ていたのかもしれません。

　メールを利用するためには、社員それぞれにパソコンが必要です。

　DOS/Vパソコンの台頭は、ハードウェアの低価格化と、マイクロソフトのソフトウェアの普及に道を開きました。

　これが社員1人1台のパソコン購入の決断を促し、日本のオフィスの景色が一変していきます。

　当社においても、全社員分のパソコン購入と配備が決まり、場所を取らないノートパソコンが、社員の机の上に置かれるようになります。

　導入したパソコンは東芝のダイナブック、OSは

Windows95になっていました。

　さらにフロアー内には、隅々までLANケーブルを張り巡らせなければなりません。

　当時は現在のような細いLANケーブルではなく太くて黄色いイエローケーブルと呼ばれる線を社内のいたるところに張り巡らせていきます。

　ワープロは一気にその姿を社内から消していき、パソコンの中でソフトウェアに姿を変えていきました。

　PC98の時代には、一太郎や松など、それこそ日本語の文化を背景として国産のワープロソフトが、またワープロで一世を風靡したOASYSもソフトウェアに形を変え、富士通パソコンの中で生き残りを図っていました。

　しかしこれら全てがWindows95の世界では、OSと同様にマイクロソフト社のWord一色に染まっていきます。

　さらに表計算もマルチプラン登場時には、様々な国産ソフトが対抗馬として登場しましたが、これもマイクロソフトのExcelにほぼ収れんされていきました。

　これらは事務処理ソフトとして、世界標準となり、その名のとおり世界中のオフィスでの必須ツールとなっていき今日までその地位を維持しています。

　またこれらを使いこなせる事が、ビジネスマンになるための必須知識とみなされるようになり、実際に事務処理現場の生産性向上に大きな役割を果たした事は事実だと思います。

これらについてはあまりにも一般的になっているので
ここで多くを語る必要はないでしょう。

皮肉な事に、これらを使いこなせない人たちが選別さ
れ結果的に事務処理の現場から退場していったのかもし
れません。

1970年代から1980年代の事務処理現場では、女子社
員にはお茶くみと言われる仕事も課されているなど、現
代からすれば非常に前時代的、非効率な世界が広がって
いました。

パソコンの普及に伴ってこれらの世界は縮小してい
き、また男女雇用機会均等法もあり、男女の仕事は同質
化し、これらの女性にのみ存在した職場や仕事がなくな
る中で、一時的に就職しづらい状況も発生したと思われ
ます。

それはさておき、情報システム部門の役割は結局、こ
ういった世界標準のツールたちの社内への導入と維持管
理に置き換わってゆきます。

LAN配線などのインフラ管理、社員一人一人にいき
わたったパソコンの購入、廃棄、そしてマイクロソフト
製品を中心としたソフトウェアの購入、ライセンス管理
など、そしてメール、ファイルサーバーの管理などで
す。

私たちの会社においてはまさに情報システム部門を出
て新たに始めた前任の課長が新しい情報システムの形を
作ったわけです。

　そしてシステム開発を中心とした本来の情報システム部門は、その後我々の会社だけでなく日本中で、外部委託ひいては分社化の憂き目にあい衰退の一途を辿るのです。

(5) データの有効活用

　さて私自身の当時の思いに戻ります。

　長年、自分の考えではなく課長の考えの元、多くの反発心を抱えながらまた矛盾を感じながら仕事を進めてきましたが、その目の上のこぶと思っていた課長がいなくなったのです。

　実に20年近くの長い間、同じ部署で同じ上司の元で働くという経験を経て、自分自身若干限界を感じていました。

　また何度かやめようかという思いにもとらわれてきました。

　その上司がいなくなったのです。

　当時は解放感にあふれていました。

　これからは自分の思い通りに仕事を進められる。

　しかし一方では次のような思いも同時に感じていました。

　課長のように大きく切り替える事もできず、私は自分

自身で作ったわなに今度は縛られていくのです。

　パソコンが世の中で益々存在感を勝ち取り、ネットワークが注目を集めるのを横目に見ながら、私自身は社内でのパソコン推進担当という仕事に大きな行き詰まりを感じていました。

　ホストコンピュータの存在意義もわかりパソコンも何とかうまく使っていきたい。

　その中で、ホストコンピュータに蓄積された大量のデータをパソコンで利用するという道が自分にはかすかに残されていると感じていましたが、社内での利用の広がりやその接続を簡単に行う技術はまだ成熟していませんでした。

　私はもともと数学がにがてで入試科目に数学を選ばなくてすむ経済学部に進みました。

　しかし数字に対する信頼感は持っていました。

　卒論にも、国勢調査をもとに東京への人口集中を地図上にプロットして、人口集中の実相、たとえばスプロール現象などを視覚的にとらえる事を試みました。

　当時の営業活動はKKDと言われていました。

　勘と経験と度胸です。

　私は営業活動にもっと数字を使えないかと考えていて、マーケティングの書籍などを読んでいました。

　その時、印象に残った書籍が「ワン・トゥ・ワン・マーケティング」です。

　いろいろ試行錯誤はしてきたけれど、コンピュータの

世界で自分にあったテーマを見つけたように思いました。

　コンピュータの世界でも、それに呼応した様々な動きが出ていました。

　もともとコンピュータは、アメリカで国勢調査のデータを集計するために使った事が世の中で大きく広がるきっかけになったと聞いていました。

　その後も、MIS（マネージメントインフォメーションシステム）など、言葉の上では情報を処理する機械としてコンピュータは位置付けられてきましたが、当時の実感では、あくまでも業務処理を目的としていてそのための、ファイルシステムが付随しているという認識でした。

　しかし情報を活用するためのコンピュータという考えは脈々と受け継がれ現在のビックデータの解析やそのための職業であるデータサイエンティストに至るのです。

　さて先にお話しした様々なファイルは、一時的にデータを保管するものでした。

　また様々なファイルは、その業務ごとに作成され、あくまでも該当する業務処理をプログラミングするのに都合よく作られていて、データの構造などは、プログラマー以外にはわかりづらいものでした。

　一方でデータをビジネスに活用する場合、これらのファイルをプログラマー以外の人が扱う事は極めて難しく、仮にそのようなスキルを持っていても業務処理にど

んな影響が及ぶかわからない中で、部外者にファイルを触らせる事はありえませんでした。

そんな中で、まず出てきたのはデータベースという考え方です。

最初はあくまでもコンピュータシステムの中で処理をより効率よく行うためのファイルアクセス方法として登場した考え方です。

プログラムの処理のために様々のファイルが存在しますがこの中で必要とする情報（レコード）を見つけるためにはキーが必要です。

様々な目的で生成されたファイルが複数あるとします。

データ処理の際は一つのファイルにアクセスするだけで事足りる場合はいいのですが、関連する情報を効率よく参照するためには分散したファイルをキーで結びつけ一度に複数のファイルからデータを集めてやっと意味のあるひとかたまりの情報を認識できるようになります。

こういった複数ファイル間の情報連携の仕組みをリレーショナルデータベース（RDB）と呼びます。

ある特定の業務処理に結びつけて作成されたファイルをこのような形で利用できる仕組みは、特定のアクセスの仕方を規定されていない利用者、例えばマーケティングの解析をする人や様々なデータを分析する立場の人にとってもデータにアクセスする道を開きました。

これがSQLと言われるデータベースへのアクセス手

法です。

　SQL も、一般の人にとっては難しいかもしれませんが、データ分析を仕事とする人々にとっては必須のスキルとなっていきます。

　RDB の構成技術や、SQL の方法は標準化され、それに対応するデータベースは、商業的に成立し様々な企業から販売されるようになりました。

　例えばマイクロソフト社の SQL サーバーやオラクル社のものなどです。

　業務用のアプリケーションシステムで使うファイルも次第にこういった商用のものを利用するようになっていきます。

　私自身はこういったデータベースの利用が進展した時には、プログラム開発に携わっておらず、SQL もあまり使った記憶がありません。

　こういった手法はコンピュータの中にあるファイルの情報をプログラマー以外の人が利用できるようにしたという事で画期的なのですが、やはり一般の人からはまだ難しく一部のデータ解析の専門家まで利用を拡大したにすぎません。

　私がコンピュータのデータを利用できる対象に考えていたのは、現場の営業マンであったり、本社の企画部門の人たちあるいは経理や総務など全てのビジネスマンでした。

　そういった意味では、やはりマイクロソフト社の

Accessが、その目的に最も近い位置にいたのではないかと思います。

Excellと異なり当初から、表のレベルを超えた大量のデータを扱うようにできていました。

しかも、自前のMDBというデータベースだけではなく、先ほどお話ししたORACLEや同じくマイクロソフトのSQLサーバーというデータベースを直接利用できるのです。

そういう意味では、まさに私が考えていた大型コンピュータ（ホストコンピューター）に蓄積されたデータをエンドユーザーが簡単に利用できるツールがついに登場したと言えます。

リレーショナルデータベースをわかりやすく可視化して目の前に見せてくれるツールで、またその考え方や作り方は、私がCOBOLで作っていたプログラム作成をパソコンレベルでわかりやすくしたもので、本当に素晴らしいものでした。

事実、プロのプログラム作成業者が、VBやC言語の代わりにAccessを使ってシステムを構築し提供する事例も増えていきました。

それほど素晴らしいツールにもかかわらず、なぜか私はAccessを使って何かをしようとは考えませんでした。

それまでのプロによるプログラム作成をパソコンのグラフィカルな機能向上により可視化するという考え方自体はAccess以前からありました。

　先にお話しした桐もそうですし、私が取り組んだEPOACEもそうでした。

　EPOACEを、一般の社員に使わせる取り組みでの失敗が私の中で、大きくブレーキをかけていたのかもしれません。

　こういったたぐいのソフトはしょせん素人には難しく、また実際のプログラム作成の現場では、いくらプログラム作成がわかりやすく可視化されたとしても、設計というスキルが必要であり、システムを構築するという作業のほんの一部がわかりやすくなっただけで、スキルの本質は別のところにそのまま残されておりそんなに簡単なことではないと感じたのでした。

　つまり素人には、依然として難しく、プロには一部にしか使えないという中途半端なものという考えがどうしてもぬぐいきれなかったのです。

　あれから20年以上たちますが、いまだにAccessが圧倒的な地位を確立したとは私には思えません。

　ただ、素人とプロの中間的な位置においてその存在感は大きくなっているのかもしれません。

　当時の私は、一般社員向けのツールとしては、表計算にこだわっていました。

　表計算は、そのデータ処理量は飛躍的に拡大していました。

　様々な関数が充実してきてこちらの方が一般の人にとって敷居が低いと考えていました。

　ただ表計算ソフトでも、最終的な表に仕上げる際にどうしても、データベースの考え方を使わざるを得ない部分があります。

　例えば、品番がわかっていてその価格を表示しなければならない場合、COBOLやAccessなどプログラム言語では、データベースにアクセスして価格だけでなく、名称や様々のその品番に関わる情報を表の中に持ってきます。

　このような操作をしようとすると、どうしてもプログラム言語やデータベースに頼らなければなりません。

　ホストコンピュータのデータを利用するにしても、このような操作は何らか必要です。

　私はこれを関数を使って実行しようとしました。

　まず、データベースにあたる情報は、別のコンピュータなり、手作成なりでシートを分けて作成しておきます。

　表計算ソフトには、VLOOKUPという関数があり、これをかなり多用しました。

　Lotus1-2-3を使っていた当時、取引先の業務効率化に使う目的でかなり大量のデータで実行しましたが、出張先に持って行ったPCで結果として計算に一晩かかってしまいました。

　しかし、当時は自分にとって望んでいた事が一度に実現しつつあり、私の仕事も社内の情報処理だけでなく、関連会社の情報システムの手助けをする事に広がってい

ました。

　私たちの会社自体は、少人数でしたが、関連会社は全国各地にあり、基本的にはそれらの会社が取引先でもありました。

　私たちの会社は、財務、労務、技術、営業など様々な側面で関連会社をサポートするのが大きな役割でした。

　情報システムも例外ではなく、関連会社には、当時オフコンと呼ばれる小型コンピュータを我々を通して販売しており技術的な指導をする専門スタッフもいました。

　入社当時から、いつも同じ事務所でコンピュータルームとの往復だけの毎日でしかも慢性的な長時間労働の中、全国各地に出張できるそのような仕事にいつか移れないかと思っていた事がやっと実現したのです。

　40歳を目前にして、私は一般に言う係長になりました。

　時代はバブル崩壊後の90年代前半でした。

　この仕事の中で、関連会社にも私の考えている事を生かしていきたいと考えるようになり、各社のオフコンからのデータ抽出と、表計算ソフトによる活用が私の大きなテーマでした。

　もう一つのテーマは、当時オフコンの維持管理には会社の規模に対して大きな費用がかかっていた事から、業務の一部をパッケージソフトに切り替え、パソコンに移せないかという事でした。

　親会社の研修所を利用し、北海道から沖縄まで全国の

関連会社の情報システム担当者を集めセミナーのような事を開催した事もありました。

　当時のハードウェア、ソフトウェアともにまだやりたい事を実現するには足りませんでした。

　とにかく、当時の私は、一般の社員が、プロやセミプロ並みの知識や考え方がなくとも、データを使いこなしデータに隠れた真実をつかんでほしいと願い、そのこだわりのまま、様々な展示会をはしごし、関連書籍を読み込んでいきました。

　情報システム部門の他のスタッフが、システム構築に苦労している中、まわりからは何をしているかと思われていたと思います。

　社内のデータをよりわかりやすい形で、経営者や管理者、営業部門にまで見てほしい。

　こういった目的で次に目を付けたのはBI（ビジネスインテリジェンス）というソフトです。

　その頃は、まだごく一部の人たちが使っていたのかもしれませんが、売れ筋がありました。

　一つは、ビジネスオブジェクトでフランス製、もう一つがカナダのコグノス社のパワープレイとインプロンプチュです。

　後者については、カナダ大使館で展示会が行われており見に行ってテスト的に購入しました。

　表計算の裏には、利用すべき大量のホストデータがあります。

　これについても、いろいろ検討をすすめBIソフトが利用できる形に最新のデータを作成しておく事が当時提唱されていました。

　データウェアハウスという名称は現在でも使われていますが、生のホストデータをそのまま利用するのは難しいし第一実際の業務に運営しているデータベースを、一般開放するには様々のリスクがあり、また不便があります。

　そのため、データ活用に適した形に様々の業務用DB（データベース）を合成し、使いやすく加工しておく。

　データ分析のためのデータは必ずしも、一刻一秒を争うものではないので、夜間にその公開用データベースを作成し、業務用とは切り離し分析用にだけ使用する。

　これがDWH（データウェアハウス：データの倉庫）という考え方で、現在ブームになりつつあるビックデータに引き継がれています。

　これらの考えをまとめあげ、社長へのプレゼンにまでついに持っていく事にこぎつけました。

　しかし、肝心のプレゼンの当日、事件は起こります。

　テスト的にホストコンピュータに仕込んでいたアプリケーションが影響し既存の業務システムが遅延しはじめたのです。

　情報システム部門にとっては、遅延は最も恐れるべきアクシデントの一つです。

　私の周囲のスタッフからは、どうにかしろと責められ

ますが、原因が全くわかりません。

　当時は、多分それだけを切り離して止める事もままならず暴走していた状態だったかと思います。

　どのような形で、収束したかあるいはしなかったかは全く覚えていないのですが社長を待たせるわけにもいかずその時の私はパニック状態になっていました。

　また周囲のスタッフも、今まで何をやっているかわからない中、業務にまで迷惑をかけ始めた私に対して怒り爆発の心境だったと思います。

　プレゼンはやるにはやりましたが、かなり動揺していた私は何を言っているか覚えていないほど散々の出来でした。

　はっきりしているのはBIやDWHの調査、導入はそこで終わったという事です。

　プレゼンの失敗のせいというより当時、何回目かのオンラインシステムの刷新が計画されており開発メンバーが不足する中、私も再び組み込まれたというのが事実かもしれません。

　開発現場からしばらく遠ざかり、業務システムが今どうなっているか、一から勉強しなおすような状態で、プロジェクトに参加する事はある意味、針のむしろではありました。

　しかし皮肉にも、以前限界を感じていた様々な課題に新しくパソコンやサーバーの世界で培われた考え方が融合し新しい道ができつつあることを実感できました。

　すべてを集中的に処理するのではなく、端末に分散して実行する。

　端末側にはデータベースを伝送しておき、グラフィカルなインターフェース、パソコンと端末の融合、日本語処理、RDBなどの基幹システムへの採用等を特徴とします。

　そして将来のデータ活用に向けて、データベースについては公開できるよう主張することだけはしました。

　ただ、小さな会社の中で開発スタッフを抱え、プログラムを内製、維持管理していく事の負担は大きくこのような規模での最後の開発例であり、すでに様々の言語や要素、技術が必要な事から、多くを外部に委託していたと記憶しています。

(6) パッケージソフトの利用

　話は少し戻ります。

　私は、情報システム部門で、給与計算を長年担当してきました。

　毎月の給与計算、賞与計算、年末調整、社会保険、昇給差額計算、退職引当金や社内預金など様々な業務をコンピュータで行っており、そのためのプログラムも作成していました。

一通りの業務知識も持っていたと思います。

いつも一緒に仕事をしていた人事の課長からは、実務経験があるので社会保険労務士を受けてみないかと声をかけてもらいました。

そんな中でずっと考えていた事がありました。

300人に満たない会社で、大型コンピュータを使ってほぼ専任のシステム担当者を抱えて自社で給与計算のシステムを維持する必要があるのだろうか。

これらのプログラムは、毎年税法や社会保険の料率が変わるたびに間違いなく改訂しなければならない。

またそのタイミングも国会を通過するかしないかなどを見極めながら、ぎりぎりの期限で修正し、チェックしなければならない事もまれではありません。

税法や社会保険の仕組みは、日本中同じですから、日本中の企業で、製造業であろうが流通業であろうが同じ事を必死にこなしているのです。

給与計算そのものの仕組みも国内の企業であれば大きな違いはありません。

小規模の企業なのになぜこのような苦労をしなければならないのか。

またこの努力は、企業の成果には直接貢献しませんから、誰からも評価される事はありません。

そんな思いから、給与計算を市販のパッケージソフトで実施できないかと考え始めました。

当時も給与計算や会計のソフトは、市場に多く出回っ

ていて一定の市場がありました。

　しかし小規模なオフィスで使われる事はあっても、大型のコンピュータと専門の情報システム部門を持つような会社で使われる事はあまりなかったかと思います。

　実際、いざ市販のソフトを調査してみるとパッケージだけで、今の仕組みを全て置き換える事は、細かな点で難しい事がわかりました。

　しかし会社には、たった20〜30万円で市販のソフトが買えると言っていたので何とか足りない部分は、外付けで作っても今よりは安くできるだろうと考えていました。

　結果としては散々苦労したあげく、パソコンの外付けシステム構築に400万円もかかりました。

　しかも、若手の総務の女性担当者にもチェックのためにまたもや過酷な残業を強いる事になってしまいました。

　これでは現場にシステムを戻し主体的に業務運用、改善できるという美名とともに、情報システム部門の残業や休日出勤という負の側面をも分散させたのではないか。

　そんな苦い思いの中で、パソコンでの給与計算は始まりましたが、結果としてはその後も大型コンピュータにこの仕事が戻ることはありませんでした。

(7) ダウンサイジング

　システム部門は、経営から見れば金食い虫です。

　ホストコンピュータの毎月のレンタル費用は毎月500万円以上かかっていました。

　実際には、これに社員としてのシステム開発要員がいて、オペレーターは当時すでに派遣社員に代わっていましたが、これらの費用が従業員が300人に満たない会社に経費負担としてかかっていました。

　業務の効率化に貢献している、その事だけがこれらの費用の必要性を説明してくれていました。

　パソコン登場時に、相対した技術者たちとはまた違うタイプの技術部門の若手リーダーが、今度はこれらの経費に目を向け始めました。

　情報システム部門は、これらの経費に見合う働きをしているのか。

　彼らの単純で本質的な疑問です。

　もちろん残業に次ぐ残業の中で、日々苦労しながら会社の業務システムを維持している我々としては、その単純な疑問は我慢ならないものでした。

　技術者たちの疑問は次第に形を整えて、普段つながりのある事務の現場の意見を集約しつつ、具体的な提案と

それを運営するプロジェクトチームの立ち上げに至りました。

　各営業所には、クライアントサーバー型の受注管理システムを設置しシステムは外部に発注するというものでした。

　現場の声をうまくビデオ編集して社長のプレゼンにまで持ち上げてきました。

　我々にあったのは、こんなに苦労しているのに誰もわかってくれないという切ない気持ちでした。

　我々の苦労はわかってくれないが、これだけの費用をかける価値はあるはずだという気持ちだけがありました。

　しかし経営的に見たその金額については理解していたとは言えないかもしれません。

　私は、システム部門にいながらも、その気持ちだけについていけず、批判する人たちの言っている事をただ無視する事はできませんでした。

　当時、コンピュータの世界では、ダウンサイジングという言葉が使われ始めていました。

　従来の中央集権的なホストコンピュータを、より分権的なシステムにダウングレードできないかという考え方です。

　それを、コンピュータを扱う側から仕掛けるという考えでした。

　私は、他の部門から提案されて自分の部署が縮小ない

しは、廃止されるくらいなら自分たちで研究し、きちんと自分たちの役割を確認しながら自らが先導してスリム化できる所はしていく方がましだと考えていました。

当時は、ホストコンピュータに代わるハードウェアとしては、UNIXサーバーが注目されており、そのサーバーとPC（クライアント）の組み合わせで、クライアント・サーバーシステムと呼ばれていました。

これらのシステムは、言うまでもなくPCの台頭によって生まれてきたものでサーバーが全てを仕切るのでなく、あくまでもPCが主役（クライアント；顧客）です。

サーバーはこれに奉仕するものという意味です。

UNIXはこれを管理するソフトウェア（OS）で、マイクロソフトが作ったPCの流れとはまた異なる考え方のもと生まれてきました。

UNIXは、特定の会社に所属するものではなく、多くの研究者、利用者が共同して作り出し、無償で利用できるという新しい考え方をもとにしています。

この仕組み全体を成り立たせるためには、複数のコンピュータを分散して動かしながら、それぞれのデータに矛盾があってはなりません。

当然ながら、通信手段としてのLANないしは、インターネットと、サーバーを中心とする複数のコンピュータを管理する仕組みが必要です。

この仕組みが出始めた頃はNetWareという名前を良

く聞きました。

　マイクロソフトがそれをほっておくはずがありません。

　当初LANマネージャーという名前で登場した後、先ほどのサーバー単体のOSと合体し、WindowsNTという名前で、これもあっという間に世界中に広がります。

　私たちの会社の中でも、技術屋さんたちがはじめに手がけ、オフィシャルに社内メールソフトが動き出したのも、この仕組みの上でした。

　ただ、これらはメールなど、それまでからすると副次的な仕組みを動かすために使われました。

　ダウンサイジングという動きはこれを企業の基幹システムである販売管理や生産管理、会計システムなどに拡張し、最終的にはホストコンピュータにとって代わる事を目指していました。

　従来の基幹システムの全体像を知っている人間が、単純なシステムの置き換えではすまない現実と、システム設計や運用の難しさを理解した上で、新しいハードウェアの上にそれを再構築する事の大きな意味を感じていました。

　私は、その考え方をまとめて当時の部長に提出しました。

　しかし、その反応は思わしいものではありませんでした。

　ある意味では、従来机を並べて一緒に会社のシステム

を構築してきた仲間と全く異なる方向を示すことになり、自分たちの仕事がその維持費用には必ずしも値しないと言っているようなものです。

　その段階では、考え方を理解してもらう事を目的としており、具体的なアプローチ等は示していなかったと記憶しています。

　部長としても、そんなあいまいなものに、他の情報システムのスタッフから反発される要素を含んでいる事を踏まえるとあえて積極的な評価を下すだけの材料は見いだせなかったのが事実だったのかもしれません。

　現実にその段階で、雑誌等でうたわれたような「ダウンサイジング」に踏み切った会社は日本ではあまりなかったように思います。

　当時のハードウェアが、そこまでの能力を持っていなかった事、長い時間と多大な労力をかけて蓄積されてきたCOBOLのシステムをそう簡単に新しい言語に置き換える事が不可能だった事、海外特にアメリカではともかく日本のコンピュータ事情に合っていなかった事などがあげられると思います。

　当時のアメリカでは現実に、かなりダウンサイジングが進んでいたようです。

　日本では進まなかった理由を考えていくと、それぞれの国でのコンピュータと組織の関わり方、ひいてはコンピュータに関わる人の働き方、そして会社のあり方に行きつきます。

　当時日本では、かなり小さな企業でもそれぞれ独自に、システム構築を行っていました。

　私たちのように、内部に開発要員を抱えている他に、さらに小さな企業ではオフコンと呼ばれる小型コンピュータがあり、地元のソフトウェアハウスに開発を委託していました。

　先ほどの給与計算の事例のように、日本全国同じ制度であるはずの税制や社会保険の制度変更のたびに日本中で同じ修正が行われソフトウェアハウスに依頼している企業はそのたびに高額のシステム開発費用を支払っていました。

　それに対してアメリカでは、かなり大きな企業でいわゆるホストコンピュータを使っている会社においても、プログラムはパッケージソフトを使う事が多かったようです。

　日本はシステム要員であろうと終身雇用制であるのに対して、アメリカは企業間をシステムエンジニアが移動します。

　常にメンテナンスが必要なソフトウェアにおいて、開発した人がいなくなる事は日本では大変な困難を伴います。

　アメリカにおいては、常に人が流動化しますので、予めそれに備えなければならない。

　そのためにパッケージソフトが普及している。

　そんな説明が私の胸に妙に響きました。

またこんな説明もありました。

日本では伝票一枚でも自社のデザインにこだわる。

アメリカでは大企業でもみな同じ市販の伝票を使う。

そこにそれぞれ独自のプログラムを求める日本と、パッケージですませるアメリカの違いが生じる。

どちらも真実だと思います。

当然、今まで使っていたパッケージソフトは、ソフト会社が、ハードウェアの普及動向に合わせて例えばUNIX版を作成すればいいことですが、日本においては全国津々浦々大小とりまぜた企業がそれぞれのシステム要員を使ってUNIXへの移行をするしかありません。

日本での失われた20年あるいは30年の遠因、製造業の繁栄の次に期待されつつ日本では花開かなかったIT産業、これらの背景には当時時代の先端にいるべきIT技術者の知識や努力を個別の一企業それぞれに分散して消費してしまった日本という国の壮大な無駄使いの結果ではないかと感じています。

アメリカでは、最もなりたい職業の一つであるSEが日本ではその待遇の低さと過酷な労働環境からブラックな職業とみなされているその事が日本から未来を奪っていると思います。

さてダウンサイジングの本質とは何だったのでしょうか。

それまでの中央集権的な情報システムを、より分権的で利用者に近づけるものという理解がありました。

　私はその本質を確かめるべく入社当時から読んでいた
コンピュータ雑誌の編集部に電話して、記者と思われる
人に聞きました。

「例えば、アメリカの連邦政府のように各州に権限が分
散している状態に喩えればわかりやすいですか」と聞い
たところ、少し違う、当時のソビエト連邦のように全体
が計画経済の下で運営されているが、各地方が共和国と
して存在している状態の方が実態に近いと言われわかっ
たような気になっていた自分を思い出しますが、今から
思えばその後のコンピュータの世界も、比較の対象と
なったソビエト連邦も大きく変化してしまいました。

　いずれにせよその時点でダウンサイジングが実現する
事はありませんでした。

　変化の波はその数年後、基幹システムのパッケージが
現実のものとして現れるまで止まっているかに見えまし
た。

(8)　オープンシステムとセキュリティリスク

　初期のコンピュータの時代はセキュリティーという心
配はありませんでした。

　ホストコンピュータは、たとえケーブルで接続されて
いても、全国の拠点と回線接続されていても、閉じた世

界でした。

　通信のプロトコルも現在のように世界的に統一された
ものではなく、バラバラでした。

　危険性は、PCという「標準化」された機械とともに
やってきました。

　コンピュータウィルスです。

　ここで言う「標準化」とは、世界中で同じ仕組みに
なったインフラを言います。

　WindowsというOSは世界中同じ仕組みに統一された
ものです。

　攻撃する側は、Windowsに合わせてコンピュータウィ
ルスを作れば、世界中をターゲットにできます。

　攻撃者も世界中で発生します。

　またインターネット環境というこれこそ世界中にオー
プンに広がる環境も感染スピードを格段に広げていきま
す。

　これに対してクローズの世界には入りようがないし、
対象が非常に狭い、攻撃者にとってやりがいのない世界
です。

　ちなみにMacがウィルスに感染しにくいと言われて
いるのも、市場が比較して小さくターゲットが狭いため
攻撃者にとってやりがいがないからです。

　社内で最初にこの被害にあったのはやはり技術屋さん
たちが持ち込んだPC98の上ででした。

　技術屋さんたちの間では大騒ぎしていましたが、私た

ちシステム部門からは対岸の火事でした。

　ホストコンピュータの世界ではこのような感染が発生するはずもなく考えた事もありませんでした。

　しかし、システム部門として公式にWindowsパソコンを導入し始めるに従ってこれは自分たちの問題になりました。

　むしろ情報システム部門にとってはセキュリティー対策がメインの仕事になっていったのです。

　ちょうど、鎖国が進歩を妨げていたかもしれないし自由を束縛していたかもしれないけれどある意味日本を守っていたという側面もある。

　この事を連想させます。

　開国と同時に一挙に、様々なものが国内に流れ込んできて、それぞれの国が異なる文化に閉じている間は心配なかったリスクが、自由と進歩と一緒に入ってくるのです。

　我々は全てのコンピュータにウィルス対策ソフトを導入しました。

　外部との通信に際しては、ファイアーウォールを設けます。

　これらの費用に対する支出はなかなか上層部の理解を得る事が難しいものでしたが、オープンシステムとその背景にある世界標準のインフラを導入する以上避けては通れないものでした。

　20世紀が終わる頃私は40代の後半にさしかかり、部

下なしですが待遇としては管理職になっていました。

　当時、我々の会社を含むグループ会社間で、コンピュータに関する委員会がはじまり私は、会社を代表して委員として出席するようになっていました。

　そこで話される内容は、全ての会社に共通する「標準化」された仕組みと、それを通じて発生するリスクへの対策が主なものだったように覚えています。

　そもそもこういった委員会の存在そのものが、世の中に広がるシステムの標準化、オープン化によってもたらされたものだったと思います。

　事務局は、グループ企業の中にあってコンピュータ運営を任されているシステム子会社にありました。

　もともとは、親会社のコンピュータ部門が分社化してできた会社です。

　こうして少しずつ、子会社それぞれにシステム部門が存在する意味合いが薄れていきました。

　ここでは様々なインフラが共通化されていきます。

　メール、グループウェアはロータスノーツでしたが、すでに先の課長が当社においては先行して導入していました。

　ブラウザーは当時はネットスケープナビゲーターでした。

　ここでの大きな仕事としては、グループとしてのセキュリティポリシーの制定でした。

　事務局の作った素案をもとに、各社の委員が議論を重

ねた上で、それぞれの社長の承認を得なければなりませんでした。

しかし専門家の作ったこの条文はかなり難解です。

経営者が理解できるしろものとは思えませんでした。

これを承認しろと言われる社長が気の毒になります。

それほど、経営者と専門家のギャップは大きく、しかしながら埋めなければならないのは私たちの役目とされていました。

セキュリティポリシーを決める目的は明白です。

ウィルス対策や、ハッカーから企業が身を守るのは、単にウィルス対策ソフトを入れファイアーウォールを導入すれば済むものではありません。

社員一人一人に、このリスクを理解させ共通の認識をもちつつ、職場での日々の業務の中で守るべき対策を徹底させなければなりません。

また、機器やソフトの導入もありますが、かなり高額の費用がかかりまた、より高度の防御には際限のない支出の増大が予想されます。

もともと費用対効果が算出しにくいというより導入による利益の増加はありません。

はかりようのない損失に備えるという名目だけです。

社員一人一人の努力にしたって、これらの対策は業務効率を確実に落とします。

部署によっては、こんな事してたら仕事にならない、業務妨害だと言われかねないのです。

　セキュリティー対策は各社一様ではありません。

　それぞれの会社、あるいは部署によって異なると思います。

　それを明確にし経営者、専門部署、一般社員の間で共有化するのが、我々の仕事であり、それを文書化したものがセキュリティーポリシーであるべきなのです。

　しかしながら、この時は限られた時間の中で、たった一人で、しかも社長に接する機会のめったにない一介の社員の立場でできる事は少なく部長に説明して理解を得て社長には伝えてもらう事でお茶を濁すしかありませんでした。

　本当の意味で、会社全体としての共有認識に向かっていったのは、次の機会でした。

　プライバシーマークの認定に向けた取り組みです。

　当時は会社として「プライバシーマーク」の取得が必要であることは上層部も含めて認識されつつありました。

　社内ではプロジェクトチームが結成され、私は情報システム部門から委員として参加する事になりました。

　課内での業務が一段落していたというか中途半端な時期でもあり、かなりの時間をこのプロジェクトチームに注ぐこととなりました。

　プライバシーの保護とは個人情報の保護ですが、ここで言う個人情報は多くはコンピュータの中にあり、多くはコンピュータのセキュリティー対策をどう取るかにか

かっていました。

　そういう意味では、出番が多く、実務的な作業や、脅威や対策の理解については、関連本を読み込み多くの情報を得てまとめていきました。

　このチームは社内のほとんどの部署をカバーしており、実際の現場業務やリスクとの関わりを理解する上では役に立ちました。

　ここではまず個人情報の棚卸をしました。

　各部署にある様々の情報を一覧にする作業をそれぞれの委員にお願いします。

　出来上がった情報の一覧に対して、重要度や、漏えいした場合のリスクを客観的に決めていきます。

　リスクの決め方は、適当と言えば適当ですが、立場の違う様々な人に理解でき、また客観的に重要度に差をつけ、被害をイメージできるのに役立ちました。

　事例は、自治体での情報漏えいの際に、お詫びで配った500円相当の商品券、これを対象者何万人を想定して配ると総額いくら等というものでした。

　こういった算定を、職場一つ一つについて繰り返していくのですが、この事が現場から、経営層までのリスク認識を一致させ、どこにどんな情報があって、どこに危険性が多く存在するかなどの客観的なイメージを作るのに役立ちました。

　対策作りでは、情報システムの知識が必要になります。

　もちろん個人情報は紙だけではありません。データとして存在するものは多くコピーやネットワークを使った拡散の威力から脅威は圧倒的でした。

　個々のパソコンでの管理、サーバーでの情報共有や、ネットワークの保護などあらゆる対策を整備しなければなりませんでしたが、幸いファイアーウォールやウィルス対策ソフトの整備は早めに実施されていたので大きな問題はありませんでした。

　最大の課題となったはずのセキュリティーポリシーもグループ全体で取り組み形になっていた事も大きかったと思います。

　このようにしてプロジェクトチーム全員の努力の結晶として、提出物もまとまりほぼ認可されるのは間違いない所までこぎつけました。

　その時、我々の耳に入ってきたのは意外なニュースでした。

　会社が合併する事になったのです。

　相手は同じグループの関連会社とはいえ、市場が一部重なる事もあり、しのぎを削ってきたライバルとも言える相手でした。

　プライバシーマークの取得のために積み上げてきたものはあくまでも、現時点での会社の現況に対するものです。

　業態も立場も異なる会社になってしまえば当然今まで積み上げたものはチャラになり一から再スタートとなり

ます。

　現実的には不可能でした。

　またメンバー一人一人にとっても、今までの会社がなくなる訳ですから、プライバシーマークどころではない話でした。

　21世紀になり小泉内閣で構造改革が叫ばれていた頃でした。

(9)　会社統合とITシステム

　私にとっては、学校を卒業して以来の変わらない勤め先でした。

　もう25年がたち50歳を目前にしていました。

　それ以上にこのまま会社に残れるのか、新たな勤め先を探さなければならないのではないか。

　大きな不安がありました。

　会社の役職にある方は、多くは60歳に達する頃でした。

　次は我々の世代と期待するその頃の事でした。

　入社以来常に私の上司でありまたITに関して私の前に立ちはだかってきたかに見える前の課長（その当時は部長でしたが）も、会社を去っていきました。

　その前に今までの事を含めて話す時を持ちたいと思い

初めてこちらから誘って二人で飲んだ事を覚えていますが、今更何をと思われたのか終始さめた会話でした。

　これ以来、たまたま席を同じくした事はあっても、一緒に飲んだ事はありません。

　会社の合併に際しては、様々な準備が必要です。

　統合委員会がスタートし、そのもとに様々な分科会が設けられ、私はネットワーク統合を担当する事になりました。

　統合する会社のそれぞれの関係は同じグループで兄弟会社ですが、同じ市場で競争してきた側面もあり、お互いの社員はライバル意識を持っていました。

　こちらは販売会社、先方は工場を中心としているので業態や気質は大きく異なります。

　売上や資本金は同等なのですが、社員数は圧倒的に向こうが上でした。

　それぞれの分科会では、委員が会社を代表してやりあう事も多かったと思います。

　分科会では、私は一人で相手は三、四人はいたかと思います。

　私自身もかなり気負って参加しますが、何か主張するたびに、先方の応援団が気勢を上げるように感じました。

　会社を背負っているようでかなり緊張しました。

　こうした場面に、今まで会社を仕切ってきた面々はすでになく、我々が急に前線で対応せざるを得なくなった

事に何か割り切れない思いを抱いたものです。

　グループウェアやメールソフトについても、両社は別のソフトウェアを採用してきていました。

　使い慣れたソフトを使いたいというのは、一般社員の心情でもありました。

　人数では圧倒されていても、簡単には譲れないという気持ちがありました。

　分科会はともかく、グループ企業のネットワーク委員会では専門家どうしの交流は以前からできており、ほとんどは彼らとの間で実務的に決まっていきました。

　以前の課長が手がけたオープンシステムですが、私は一人で一から学びながら交渉し、決めていくというかなりプレッシャーを感じながらここは乗りきるしかないという心境で毎日臨んでいました。

　明日はどうなるかは自分しだいみたいな緊張感がありました。

　二つの会社が合併して一つの会社になる。

　そのために、それぞれの本社を引き払いその中間に新社屋を移転する事になりました。

　私は本社移転の委員会にも加わり、その中でLAN配線等の検討を行う事になりました。

　今まで販売会社の中では、情報システムという間接部門にいて比較的目立たない位置に常にいたのに、会社がなくなるという時にあちこちに引っ張りまわされるという皮肉な巡り合わせを感じつつも反面、ITが会社のイ

ンフラであり根幹を担うようになった事も感じさせられ
ました。

　また今までお話ししたように、世界中で仕組みが標準
化されまたオープンになっているからこそのネットワー
クインフラなので、その上に乗るアプリケーションの選
択はともかく、通信の仕組みは同じなので、共通の言語
の中で議論を進めていく事ができました。

　ネットワークはそういう世界になっていたのです。

　一方で、ホストコンピュータや、基幹事務システムは
どうなったでしょうか。

　これらは従来の閉じた仕組みを多かれ少なかれ維持し
ていましたので、統合はより困難です。

　こちらは私ではなく、旧来の情報システム部門がメイ
ンとなってシステム統合を進める事になっていました
が、我々のホストコンピュータが存在した本社ビルから
は全員が引き払いましたので、ホストコンピュータも撤
去せざるを得ませんでした。

　一方で、合併先の会社は、本社こそ引き払いました
が、全国の工場はそのまま残りました。

　ホストコンピュータは、その中の東京工場にありまし
たから、組織も機械もシステムもそのまま残る事になり
ました。

　したがって情報システムそのものは、合併先に吸収さ
れたと同然でした。

　我々独自のシステム機能を洗い出しそれらをいかに、

先方のシステムに組み込むかそれだけだったかと思います。

　この頃、日本中で会社の統合、リストラが実施されていました。

　コンピュータ部門では、似たような景色が各所で展開されていた事でしょう。

　我々は、一方への片寄せを選択しましたが、銀行での統合作業などを見ていても対等のシステム統合は困難を極めた事が知られています。

　COBOLを中心としたシステムは容易に置き換える事は難しく、また各社の個性を尊重する日本の産業界では、そうした閉じたシステム同士を一体化する事は至難の業であることを改めて感じました。

　旧本社のコンピュータの撤去作業は、社員がもう全て退去した後、実施しましたが、私が立ち合いました。

　誰もいないオフィスの中で、この場所に移転してきた時の事を思い出していました。

　入社7年目で会社は都心からこの場所に移り、新築のビルに新しいコンピュータルームを設置するため私はこの部屋を下見に来ていました。

　あの時と同じように、コンピュータルームががらんどうになった状態の中で、佇んでいましたが、いろいろあった事が思い出されて寂しさを禁じえませんでした。

Ⅳ．モバイル・クラウドの時代

（1） クラウド前夜・インターネットの進展

　90年代にインターネットが普及し、2000年を超えた当時、一般の会社もホームページを設ける事は普通になっていました。

　以前の会社では、ホームページはありましたが、システム部門はノータッチでした。

　そのホームページや、デジタルシステムの販売を担当していた部門の若手と、私は徹夜して、我々の会社のホームページの最後を看取っていました。

　私たちはそれまで全く別の部署にいましたが、新会社の同じ部署で運命をともにすることになります。

　新会社は発足し、私は情報システム部門からただ一人離れ、営業部門に移る事になりました。

　新会社の統合にあたっては、我々の会社の社員はほぼ一塊になって、独自の事業部を形成していました。

　情報システム部門は、コンピュータそのものがなくなったので、全員先方の工場内にある情報システム部に異動になりました。

　自分たちで作り上げてきたシステムや使いなれたコンピュータはなく、都心から離れた場所で一日を過ごす寂しさを感じていました。

　ただ、新会社の情報システム部門長は、以前の会社で私の1年先輩、当時までの部長が横滑りしました。

　こうでもしなければそれまでの同僚たちは多勢に無勢、やってられなかったかもしれません。

　私は、それまでの同じ部門、同じ会社の面々とは異なり、周りが全て合併先の人たちの本社営業本部に課長として赴任しました。

　一緒にホームページの最後を看取った若手は、ただ一人の以前の会社出身者として私を助けてくれました。

　上司も部下も合併先の組織がそのまま残っている中への異動です。

　古い言い方ですが、敵陣に乗り込む覚悟、それも本丸です。

　ただ私の任された部署は、営業とはいえ設立して間もないネットショッピングを担当する課でした。

　私たちの業界は、合併した両社も、親会社も構造不況のさなかにいました。

　従来の販売システム、製造システムの限界、マーケットや個人の嗜好の変化がありました。

　私たちの課はそうした既成のルートとは別に、オンラインショッピングで受注する新しい販売形態を模索しており、会社としてはここに活路を見出そうとしていたようです。

　ネットで新しい会社名を検索すると、産業革新機構への申請内容がなぜか表示されまさに我々の課がその方向

性を担っている事が分かりました。

　そこに書かれている数値目標も、その事自体も、上からは何も知らされていませんでした。

　当時私の課にいた部下はいずれも優秀でまたそれぞれが個性が強い面々でした。

　新しく来る課長に対しては、しょせん素人で今まで営業に携わった事もない事務屋さん、お手並み拝見という程度に見られていたのではないかと思います。

　しかし彼らの熱意は並み大抵ではなく、平気で徹夜する事もしょっちゅう、夜も8時頃から打ち合わせを開始という日常でした。

　与えられた仕事の重さ、また部下の熱心さを見る中で、私もまたそのペースに飲み込まれていきました。

　年齢は50になろうという頃です。

　ただ、今までシステム部門を出た事がなく相手の会社そのものも全く知らず、営業にもタッチしたことのない私にとっては毎日が緊張の連続でした。

　先方の会社の工場を中心とした仕組み、組織、人に慣れる事、また営業部門それも本社の中枢で働く事、全てがプレッシャーではありましたが、当時はそれを何とか乗り越えようという気持ちが勝っていました。

　また、オンラインショッピングという対象そのものが、当時の誰しもがなじみの薄いものでした。

　また全てが一から勉強です。

　アフィリエイト、アクセス数、ビジネスモデル特許、

宅配モデル、IT関連とはいえ、従来のシステム開発や運営とはまた別の遠い世界、扱った事のない聞いた事のない専門用語の連発です。

部下の言っている事がわからない。

上司の求めているものもわからない。

営業部門ではありながら、お店に訪問する事はありません。

お客さんは一般消費者、あるいは、ネット上のポータルサイトです。

ヤフー、マイクロソフト、アドビなどがパートナーでした。

消費者からのクレーム電話に半日かかわったという洗礼も着任早々ありました。

また、営業部門の中にありながら、既存の販売ルートを飛び越え、いきなり消費者と繋がる事から、我々に対しては社内から微妙な視線を感じてもいました。

部下の中にも、既存の販売ルートとは一線を画して新しい領域としてどんどん前に出ようという意見と、既存ルートとも仲良くしてうまく棲み分けようという路線の違いを感じてもいました。

以前の会社と異なる点に、工場との繋がりがあります。

以前は、販売会社ですから購入部門が仕入れたものを販売していましたが、今度は自社内に工場がありますから、生産ラインとの関係を常に意識しなければなりませ

ん。

工場内には、オンラインショッピング専用のラインがありました。

また、オンラインショッピングは直販でもあるので、価格設定もユーザーに有利になるようにしなければなりません。

当時は同業のネットショッピングの会社が、非常に安い価格で市場に参入してきていました。

我々は、老舗でもあるので、ブランドイメージも守らなければなりません。

当然、品質にも留意しなければなりませんし、ネット市場での競争にも勝たなければなりません。

価格以外の利便性や付加価値もつけなければ価格だけでの勝負には勝てません。

工場とは、こうした品質、価格、納期などで常に緊張感を持ちながら交渉する事が日常で、時には電話の向こうから怒鳴り声が聞こえてくることもしょっちゅうありました。

工場に生産原価をなんとか下げられないかと交渉に行った際、最大のネックはあなたたち間接部門の人件費だと言われた事がありました。

それぐらい率直なやりとりの中に、不思議と充実感を感じている自分がいました。

以前、プログラム開発に明け暮れ、コンピュータルームとデスクの往復に大半の時間を費やしていた自分、あ

るいは営業所の現場に出向きヒアリングを重ねて顧客との接点の最前線を知ろうとしていた自分、そこからはるかに遠い場所に今いるんだという事を感じていました。

しかしITが会社にどう貢献していくか、社会にどう広まっていくかという観点では、以前いた位置からは遠く感じるかもしれないけれどその延長線上に私はいた事が、今だからわかります。

コンピュータはその能力を向上させ間接部門の効率化を進めてきました。

ネットワークと結びついてさらにその影響範囲を広げまたインターネットの進出により家庭にまで広がっていきます。

現場と本社のピンポイントの効率化だったものが、本社内のネットを通じて部門を通じた一体的な効率化に進み、さらに全国の営業所にまで広がっていきました。

私が、以前の会社にいた最後の10年は20世紀の最後、90年代に重なりますが、そのネットワークを会社の外に広げてより抜本的な合理化を模索していました。

先の課長は、eメールの導入にかかる前、本社と営業所の接続のさらに先、倉庫とのネットワークを検討していました。

メーカーであれば、製販を通じた合理化を進めていた会社も多かったのではないでしょうか。

同じ頃、私の後輩は、取引先とのEDIを進めていました。

　これは取引先と本社のコンピュータの間を回線接続し、注文データを受け取るというものです。

　これが浸透すれば、営業所での受注作業自体がなくなっていきます。

　私が携わっていたオンラインショッピングは、ネットを使いさらにコンピュータがカバーする範囲を広げたものです。

　家庭にまで浸透したコンピュータを使い、インターネットを通じて直接、消費者が商品を注文する。

　メーカーがそれをダイレクトにコンピュータで受け工場に出荷指示をする。

　まさにコンピュータが能力を拡大し、ネットと結びついてその影響範囲を拡大するという意味においては同じ役割を担い、かつその延長線上にいると言っても間違いではありませんでした。

　この間コンピュータと我々は何をやってきたのでしょうか。

　消費者と生産者の間にあるありとあらゆる間接業務を機械の手に委ね、様々な要望に瞬時に応え利便性を向上させると同時に、人が担ってきた様々な仕事を奪ってきたとも言えるかもしれません。

　派遣社員という言葉を初めて聞いた頃、会社の中で最初にその仕組みを取り入れたのは情報システム部門でした。

　最初の方で書いたように、その専門性から、社内での

異動が難しい情報システム部門のスタッフは人事的にも扱いが難しい事があり比較的派遣社員という形態が受け入れやすかったと思われます。

当時の派遣社員のイメージは専門職で会社に縛られない存在でした。

それがいつのまにか情報システム以外の部門に、そして一般職にも広がっていきました。

また営業所での受注という多くの人手を要した仕事が、コンピュータに置き換えられ正社員の仕事自体が減っていきました。

同時に進行していた男女雇用機会均等法もあり、それまでの受注事務を担当していた女子社員が営業に異動するケースが広がっていきます。

これは我々だけでなく全国的な現象だと思います。

間接部門である事務の仕事がなくなるかあるいは、派遣社員の仕事となりそれまでの女性が担ってきた主要な業務が縮小されていきました。

就職氷河期と呼ばれた頃に繋がる時期だったかもしれません。

間接部門の機械化という意味では、ほぼその役割は終わり、人とシステムのインターフェースという点においても社内の事務部門の縮小に伴い情報システム部門の仕事も減少あるいは、外部委託が進んだのは皮肉な結果でした。

そういう意味では、残された主戦場は、消費者との

ユーザーインターフェースつまりWebインターフェースになります。

　話を戻します。

　オンラインショッピングの部署を担当した私は社内の様々な部署と関連を持ちながら仕事を進めていましたが、ネットショッピングのオンラインサイトを設計・開発していたのはそれまでの情報システム部門とは全く別の部署でした。

　ユーザーインターフェースという意味では、同じなのですが使う技術や対象とする人が消費者という事から、宣伝部門や販売部門にそのような専門家が配属される事が多かったのではないでしょうか。

　当時の私の会社では、注文したデータから、製造に繋げるために、工場の生産部門の一角にWebインターフェースの開発部隊がありました。

　オンラインショッピングで重要なのは、ユーザーとのインターフェースでありその画面設計やWEBのデザインですが、他社との競争や常に変化するインターネットの環境に合わせユーザーの利便性や好奇心を刺激し競争での優位をとっていかなければなりません。

　当時、目指していた一つはオンラインサイトの機能を増やして新たな付加価値を作ること、もう一つはその頃パソコンだけでなく新たなデバイスとして登場しインターネットへの接続が始まっていた携帯電話に対応する事でした。

　前者に対しては、機能の設計と、ビジネスモデルとしての確立、そして世間に存在する類似サービスとの比較があります。

　この時、話題になったのがビジネスモデル特許です。

　当時は同業でも様々なサイトが立ち上がり、どの部分が似ているかを、判定しなればチャンスどころかリスクを抱え込む事になります。

　何度も親会社の知財部を訪ねて相談を重ねた事を覚えています。

　後者について言えば、当時からあるキャリアのそれぞれの機種ごとに、うまく適合するかを調査する事から始めました。

　このために、豊洲にある大手SIer（エスアイヤー；システム構築業者）とチームを組み新たな事業としてビジネスを構築するというプロジェクトになりつつありました。

　これは家庭のPCにまで広がったコンピュータの世界が、携帯電話という移動する機器にまでさらに拡大した事を意味しました。

　モバイルの世界です。

　私の新たな挑戦はしかし1年後に突然新たな合併によって終わります。

(2) 新たなシステム統合（グループウェア）

　二つの有力な子会社を合併させても、なお業界の縮小は止まりませんでした。

　今度は、さらに範囲を広げ親会社の担当部門も含めた複数子会社を全て一つに統合するという大規模な合併です。

　親会社としてもそれまでの会社の大黒柱であった主力部門を、分離独立させるという思い切ったリストラです。

　今までの会社の中枢部門を含め新会社に異動させました。

　新しい本社は都心に建設中の高層ビルでした。

　私は、それまでの営業部門から経営管理部に移りました。

　経営管理部では、会社統合を円滑に進め会社として一つにまとめあげていく事が当面の役割だったと思いますが、ITと会社経営の関わりが深まった事もあったかと思います。

　しかしながらそのITは、それまでの基幹システムを管理する立場ではなく、メールなどの社員のコミュニケーションに関わる事に移っていました。

　基幹システムに関わる情報システム部は、一つ前の合併でできた工場内で何も変わらず粛々と業務を続けていました。

　私はいわばIT企画という役割で、経営管理部に来たわけです。

　最初の仕事はメールとグループウェアの統合です。

　新会社とはいっても最初の内は、まだ各社がそれまでの所在地に本拠を残しお互いの顔が見えない状態でした。

　それを繋ぐのが、メールやグループウェアです。

　我々は、新会社がスタートするその日までに、本社が置かれる新社屋に、経営管理部を構え、その他の部門が移転できるよう前と同じようにインフラを整えていきます。

　まず、会社がスタートするその日に各地に散在する旧本社組織、全国の拠点に対して社長メッセージを送りました。

　時刻は会社がスタートするその日の、最初の瞬間、午前零時ちょうどです。

　メッセージはあらかじめ社長からいただいており、総務の課長と私とで、メール発信の準備をすませ無人の社長室のパソコンを開き社長のアカウントで発信する時を待っていました。

　総務課長が直前に見つけた文言の誤りを直し、なんとか発信できた時は胸をなでおろしました。

　これがこの会社からの最初の発信でした。

　グループウェアとメールは、私としては以前の会社から、ロータスノーツを使っておりまた親会社としてもこれを共通のツールとして進めようとしていました。

　グループウェア全体の画面を設計し、徐々に旧各社のアイコンが登場する形で画面が整っていきました。

　会社の統合、部門間の情報共有という意味でグループウェアの持つ力を目に見える形で実感できました。

　そのあとに控えていたのは、そのグループウェアのバージョンアップです。

　当時のノーツは、独自のアプリケーションをパソコン側にセッティングしなければなりませんでした。

　そのため、全国にある拠点、全社員のPCへの設定が大変な作業になる事が予想されました。

　ノーツはグループウェアの世界では、当時最も標準的で、最も早くこの世界を切り開いたアプリケーションでしたが、後からは様々なライバルが追いかけており特に専用アプリではなくブラウザーを使った簡便なツールが大きくシェアを伸ばしてきていた頃だったと思います。

　我々の新会社においても、PCのセットアップに手間がかかるためどのようなPCでも簡単に利用できるWEBタイプのアプリケーションが望ましくロータスを継続すべくか悩ましい状況でした。

　そんな中でロータスが新たなバージョンアップで登場させたのは、ドミノでした。

　今までのロータスの資産を継続利用でき、かつWEB
ブラウザーでアクセスできる新しいタイプのソフトで
す。

　その後このタイプは一般的になりましたが、我々が導
入した時は、レスポンスをはじめ使い物にならない状態
でした。

　全国の2000人以上に増えた社員から、毎日寄せられ
る不具合の報告、これを読むのに毎晩11時くらいまで
専念せざるを得ない時期には正直、音を上げていまし
た。

　これをたった一人で立ち向かい改善策を検討しなけれ
ばなりませんでした。

　もう年齢も50に達し、なんとかこの状態を抜け出す
ために、一人の増員を願い出てこれはすぐに受け入れら
れました。

　さらに、我々だけではどうしょうもなく、製作元に苦
情を上げる事も必要でした。

　当時ロータスは、IBMに吸収されロータス事業部と
なっていましたが、責任者に本社に来ていただき現状を
伝えました。

　どんな苦しみも永遠に続く事はありません。

　こうしていつしかトラブルは収束し、平穏な日々が戻
りつつありました。

　私はここまで、オープンシステムの洗礼を受け、基幹
事務からコミュケーションへとITの現場が変わってく

るその先々にいて、変化を実感してきました。

　また、基幹システムを担うIT部門の変質、縮小にも立ち会ってきました。

　自分の担当した給与計算の分野においては、パッケージ化を主導しました。

　あるいは、ホストコンピュータのデータをユーザー部門で利用する事を模索してもきました。

　そうした様々のIT部門に降りかかる流れの行き着くところ、最後の山場に立ち会う事になりました。

　ERPの導入です。

　ERPとは、日本ではなかなか進まなかった基幹システムの究極のパッケージ化です。

　パッケージそのものは、私自身は給与計算において導入を進め、その意味も理解していました。

　アメリカでは、とうの昔に、基幹業務においてもパッケージ化が進み、しかもかなりの大企業においても導入している事は「ダウンサイジング」の章にてお話しした通りです。

　しかし日本においては、給与計算や会計など各社共通のもの、しかも小規模の企業に限定してこれらのパッケージが浸透していたにすぎません。

　基幹システム、しかも大企業においては、パッケージの導入ははるか先に思われました。

　ダウンサイジングという呼び声から、かなりの時間をおいて、パッケージ化の波が日本にも押し寄せました。

　これを推し進めたのがドイツのSAP社です。

　キーワードはベストプラクティスです。

　つまり、あなたの会社の経験だけでなく様々の顧客での利用経験から積み上げられたパッケージシステムこそが最良の解決策という意味です。

　システムを業務に合わせるのではなく、業務をシステムに合わせましょう。

　日本では、言いにくかったこの論理はいとも簡単に受け入れられ、日本の大企業においても次々、パッケージが特にSAPが導入されていったのです。

　これまであれほど会社の独自システムにこだわり、その独自の業務の仕組みにシステムを合わせる事を求めてきた日本の企業がここにきてなぜパッケージを受け入れたのでしょうか。

　一つには日本の企業がグローバル化し、世界中にある子会社とのシステム統合を迫られた時、本社の仕組みだけが国際標準ではなかった事があるでしょう。

　また、独自システムの組み合わせ、変更の積み重ねにより、複雑化、肥大化しもはやこれ以上、維持できなくなっていたのかもしれません。

　情報システム部門の弱体化もあるでしょう。

　私たちの会社でも、ついにERPの導入が始まりました。

　社長をリーダーとし、社内各部門の管理職がメンバーを構成する100人以上のプロジェクトです。

　コンピュータシステムが会社の中でこれほど注目され重要な役目を担ったことはありませんでした。

　私たち経営企画部がいた15階の、かなり広いスペースを間仕切りし、グループのシステム子会社の社員が、30名ほど常駐する事になりました。

　ERPは、パッケージですから、プログラム作成は必要ありません。

　システム子会社によって、社内の各利用部門にヒアリングが実施され、その会社にあったパラメータ設定がなされていくだけです。

　したがって、このプロジェクトを引っ張っていくのは、利用部門です。

　従来、私たちシステム部門が、ユーザ部門と言っていた人たちが、今度はシステム導入を主導していくのです。

　一方、従来のシステム部門はあいかわらず、工場の中に残り、ERP導入プロジェクトでは、サーバーなどのインフラ設備の想定など脇役に徹していました。

　ここにきて、システム部門の没落は目に見えるものとなりました。

　私の立場は、本社経営企画部でIT企画を担当するという微妙な役回りです。

　プロジェクト自体は、経営企画部が取りまとめるのですが、あくまでも主役は利用部門です。

　プロジェクトチームメンバーの中に、私の正式な位置

はありませんでした。

　しかし、ERP導入のプロと、利用部門のプロを、背後から支え、システム的な知識と勘をもとに動き回る別働隊とも言える裏方のチームが組織され、私はその中の「得意先マスター」整備チームで動く事になりました。

　さて「得意先マスター」とはどういう意味合いがあるでしょうか。

　もうすでに、プログラム自体は、パッケージだからできていて、後はパラメータを利用部門の実態や希望に合わせて設定していくだけ、他にどんな大変な事、あるいは専門家として関わるべき事が残っているのか疑問に思われるかもしれません。

　しかし得意先マスタを含むデータは、プログラムと並び重要な要素です。

　先にお話ししたデータベースについて、覚えてらっしゃるでしょうか。

　データベースの形態がどんなに進歩しようと、マスター（台帳）の存在はその中心にあるべきものです。

　一般の企業システムにおいて、その中心は得意先（顧客）マスターと品名（商品）マスターです。

　普通に考えれば、このマスターについても、以前のコンピュータシステムから変換して持って来れば良いと考えるでしょう。

　しかし我々の会社はこの数年で大規模な合併を繰り返し大きくなってきました。

　私が元々所属していた会社は、各県に一つ程度、工場を持ち、商流、物流はそこに集約されていました。

　我々のお客様は、各県で一つずつのそれらの会社であって、せいぜい100程度の顧客とその他の小規模な顧客が登録されているだけでした。

　全国に広がる小売店は、それらの顧客のさらに先の存在でした。

　しかし、2度の会社統合の中で、複数の商流が一つにまとまってきました。

　我々の会社は、その全国に広がる最終顧客に対して直接販売する事になりまた複数の販売事業も一つに統合する事で、最終顧客に繋がる商流も統合されていく事になりました。

　結果として、10万〜20万の得意先マスターを構築しなければならなかったと記憶しています。

　それまでの各社のコンピュータシステムに別々に存在した得意先を確認しながら最終的に一つの得意先マスターに統合する事は大きな難題ではありました。

　様々な合併の中で、ERPであろうがなかろうが、常に課題となっていたであろう「名寄せ」と呼ばれる作業です。

　実態としては一つの顧客が、それまでは別々のコンピュータシステムにバラバラに登録されていたものを一つにしなければなりません。

　名前も同じで、住所も同じだから簡単に統一できると

感じるかもしれませんがコンピュータに登録されているのはそれだけではありません。

顧客マスターに登録されている様々な項目を、確かめつつ一つにしていかなければなりません。

場合によっては、別の社名が登録されている事もあるかもしれません。

代替わりが反映されていない場合もあるかもしれません。

町名変更が遅れているかもしれません。

登録されている様々な項目も相違がある場合は確認が必要です。

未回収があるかもしれません。

一つの得意先と確認された後も債権額の確定が必要になり、それらが請求額として一つにまとまって送付されます。

トラブルになる事もあるかもしれません。

単なるコンピュータへの登録の話ではありますが、実際には全国の支社の営業マンがお店を訪問して確かめなければなりません。

この営業マンも統合されあるいはリストラで会社を去っている場合もあるかもしれません。

この間に立つ支社の業務部門に負荷が重なっていきます。

我々はこの情報統合を指揮し進捗を管理し、どこに問題があるかを確認し、とにかく期限までに無事マスター

が統合されるよう工夫し責任を持つ立場でした。

　毎日毎日支社と連絡を取り、進捗情報を確認し、督促し、結果を社長も同席する定例会に報告する。

　その繰り返しでした。

　最も追い詰められた時期は、毎日がタクシー帰りで、時には徹夜もありました。

　しかし、そうしたタクシー組が、我々だけではなく、その時間になると、決まった場所にタクシーが集まってくる事、またその時間にビルのエレベータの前には女性たちを含む多数の社員がいる事に驚きました。

　私は、全国の支社で得意先情報の取りまとめを依頼する業務課の方々に、報告を督促するメールをいつもその時間に送っていました。

　導入の初期に関わったシステム部門の人間から見れば、すでにそういった使われ方をされるほど定着した仕組みになっていたのは皮肉ですが、我々は1時2時まで頑張っているんだという事をあえて示すという気持ちがあった事は事実です。

　ERPは、パッケージの導入であってシステムを開発する訳ではないのに社員には過酷な作業となる例があり、犠牲になる方がいたという話はその前に聞いた事はありました。

　私の中でも時がたっても、達成感よりも、この苦い思いを忘れる事はできません。

　常駐SEを含め1か月完成が遅れると数億のコストが

かかると言われている中で多くの社員を巻き込んだERPの導入は何とか終着を迎える事ができました。

　我々の勤務する15階経営企画部のフロアーからも、常駐SEたちのオフィスもなくなり平穏な日々に戻っていきました。

　そしてこの導入を経て情報システム部門の存在はさらに薄くなっていたように思います。

　そうした中で、会社全体の業績は構造不況と言われる中でさらに悪化し、合併を重ねたこの会社も最終の姿ではありませんでした。

　会社はさらなるリストラを追及し、ついに50歳以上の居場所はなくなりました。

　希望退職という形ではありますが、私の残る場所はなく15日間で結論を求められました。

　希望退職に応ずるか否か。

　私も52歳になっていました。

　面談では上司から残るなら地方の工場の閉鎖を担当する職であれば用意できるとほのめかされました。

　私自身は腹をくくっていましたが、返事をしたのは募集の最後の日でした。

　上司は、早期退職に応じないものと思っていたようです。

　このような経緯で大学を卒業してから、形は変わったにせよ通算30年勤務した会社を後にしました。

　その後3か月ほどの求職活動の末、全く異なる業界で

はありますが、IT部門の管理職として新たな職を見つけ60歳の定年を越え、さらに65歳になる2019年まで同じ職場を勤め上げました。

Ⅴ．IT社会の現在と未来

（1） IT の現在

　こうして社会人となって一貫して IT 部門に勤務した
40年間を振り返った時に改めて見える事、そして考え
ざるを得ない事があります。

　IT 部門とは何だったのか、私の仕事は世の中から見
た時にどんな意味があったんだろうか。

　決して IT に関わる先端にいた訳ではなく、むしろ末
端の多くの同業の人たちの中で世の中の動きに翻弄され
流されていたそんな立場だからこそ言える事があるので
はないか、見える事があるのではないかと思います。

　私たちが若い頃、この世界には大きな夢があると思っ
ていました。

　社会を変革していく力を持っていると感じていまし
た。

　私は IT に関する専門家と胸を張れる立場でもないし、
また社会について洞察する事についても、知識は乏しい
かもしれませんが私なりに考えていた事があります。

　社会に出て、IT との関わりを持った70年代、絶頂期
に近づいていた日本ですが、一人一人の生活は長時間残
業に支えられていました。

　当時から、豊かとは言われる生活も実際は長年の蓄積

がある欧米、特に北欧の国々には遠く及ばない事は実感していました。

　一見豊かに見える日本人の生活も、長時間の残業を前提としており、狭い住居で暮らすようないわば自転車操業のような状態で、本当の豊かさに届くためにはもう少し我慢しなければならない、でもそれは手の届くところにあると思っていました。

　コンピュータもこれからを担う夢の道具でもありました。

　どこかで夢の実現に近づいていくそうした予感を持っていました。

　日本での働き方にはまだ不合理なところがある。

　工場の生産性は優れていると言われながらも第2次産業以外の職場あるいは事務職、営業職など間接部門の生産性は低いと言われていました。

　コンピュータ部門に携わる自分たちの社会での役割もそういった生産性の低い部門を効率化し、豊かな時間の使い方ができる欧米の生活に近づくために役に立っているのではと考えていました。

　今、私のまわりを見渡した時、当時の期待とは違った世界が広がっています。

　確かに、本社の奥ノ院にしかなかった大型のコンピュータが、社員一人一人の机の上に存在していて、インターネットを通じて世界中の様々な情報に繋げる事ができます。

　当時は想像さえしていなかった携帯電話の普及で、コンピュータはスマートフォンの中で持ち歩くことができます。

　インターネットの世界と融合し、さらにIoTと呼ばれる社会のあらゆる領域へのコンピュータの拡大など目を見張るものがあります。

　しかし一方では、40年前と何も変わっていない。

　私の期待した世界には程遠い相も変わらぬ社会が目の前にあります。

　日本に限って言えば当時の希望や熱気は大きく失せ長い停滞の時代が続いています。

　むしろ衰退期と言えるかもしれません。

　最近また世間では一流と言われる企業での長時間労働による若い人の自殺や過労死のニュースを耳にしますが、日本の社会はこの長いキャッチアップにもかかわらず全く変わっていません。

　むしろ悪化しているのではないかと感じます。

　社会のIT化はなんだったのか、間接部門の合理化に役立ったはずのコンピュータシステムは何のためだったのか自問自答せざるを得ません。

　そして強く感じるのは、そうしたIT部門、IT業界が世間で最も長時間残業を強いられいわゆるブラック企業と言われている現実です。

(2) ソフトウェアの世界で働く人々

　日本では、ソフトウェアの業界はブラックと言われています。

　長時間労働、サービス残業が横行し、3Kと呼ばれます。

　一方アメリカでなりたい職業の上位にくるのはSEです。

　この差はなんでしょうか。

　確かにこの仕事には残業は付きものでした。

　私が働き始めた頃から、プログラミングは非常に根気のいる作業でした。

　大変さの要因の一つは、あいまいさや多様さ、複雑性を含む人間社会の仕事を、最終的には0か1かのデジタルな論理様式に落とし込む作業です。

　いわば人間と機械の間に立つ難しさです。

　人間の能力の限界に起因する難しさかもしれません。

　よくある失敗はループです。

　条件によってあるいは進行度合いによって記述したプログラムの中を永遠に循環するようなわなにはまってしまうのです。

　こうした場合、プログラムは永遠に終わりません。

　ループしなくても、間違った実行をさせてしまう事はままある事です。

　こうした誤りを防ぐためにプログラマーは慎重に、自分の書いたコードを目でチェックし、そして実際にプログラムを動かしてみて結果を確認していくのです。

　そのためには、その可能性が1000回に1回であろうと、1万回に1回であろうと全てを想定し、ありえないと思う条件まで全てを記載し、それが起きたら何を実行するかを記述するのです。

　実際に読み込むデータは1000件や1万件ではなくもっと多いのですから、起きておかしくはありません。

　人間であればこのような場合は、その都度都度であれば適切に判断する事ができる柔軟性を持っています。しかしプログラムは、都度でなく全てのケースの条件判断を記載しないと機械は動きません。

　またこれらのケースをテストする事も簡単ではありません。

　テストデータを用意しなければならないからです。

　できる限りの可能性を想定し、それを全てテストする。

　見つかったバグの原因を頭をひねりながらプログラムコードを眺めて見つけ修正しまたテストする。

　これらを繰り返していくうちにあっという間に時間がたってしまい気が付いてみたらとんでもない時間になっている。

　しかしながら、このような細かいプロセスと様々な条件、条件ごとの作業手順を想定しながら記述していく事、またそれを一つ一つテストしていく事は人間の頭にとってはその能力を超えたことかもしれません。

　まさに気が遠くなるような作業の繰り返しです。

　ものを作る事と違いその形を目で確かめる事はできません。

　すべてを頭の中で論理として想像するのです。

　人間の脳が考えられる事、記憶できる事には限界があります。

　ソフトウェア作成の仕事では、精神を病む人が多い事は昔から言われてきました。

　この職業がブラックと言われる背景には、単なる過労働に加えてこの世界特有の事情があるとも考えられます。

　一方、システムの完成には期限があります。

　社内の利用部門には、そのシステムの稼働を約束し、担当者は待っているのです。

　システムの大きさによっては、それは社内だけでなく取引先やあるいは社会の様々な人たちに影響する場合だってあります。

　こうしたプレッシャーの中で、システムは作られていくのです。

　もう一つの要因は、逆にソフトウェアが持つ人間的な要素です。

属人的と言い換えても良いかもしれません。

人間の脳の多様性に対応する難しさと言っても良いでしょうか。

オートメーションの象徴であるコンピュータそしてその中枢にあるプログラムを作成する作業は驚くほどの手作業です。

物事を実行するプロセスを全て個人の頭の中で考え抜きあらゆる条件、可能性を想定しそれを記述します。

それの手順、条件、条件ごとの作業内容を、言語に置き換え記述していくのです。

この条件の想定や、論理構成は個々のプログラマーやSEしだいです。

同じ一つの結果を導くためにはいく通りもの論理構成が可能です。

このためプログラムはかなり属人的なものです。

一度作ったプログラムには、メンテナンスが付いて回ります。

このメンテナンスも、目に見える製品とは大きく異なります。

目に見える製品のメンテナンスは通常は、物理的な劣化に対処する事だと思います。

ソフトウェアは、物理的に存在するものではないのでその意味での劣化はありません。

場合によったら永遠に使えるかもしれません。

通常はプログラムは常に変化するビジネス環境の中で

使われますが、その環境はプログラムを作成した時に想定できない変化を伴います。

　そしてその都度プログラムは修正しなければなりません。

　この時、そのプログラムを作った人が、修正する事はむしろ少ないと思われます。

　先ほど言ったようにプログラムにはその作成者の個性があります。

　考え方や論理構成のくせや偏りを反映した出来不出来があります。

　人の作ったプログラムを修正するのは、プログラムを作ることより面倒な事ではあります。

　ましてやスパゲッティープログラムだったら、まさに気が滅いるような感覚に陥る事になります。

　そしてプログラムの修正を求められるのは、すでに日常的に使われている事から待ったなしのプレッシャーのもとで一刻も早い対処が求められているのです。

　世の中に無数のプログラムが作り続けられていると、このメンテナンスの仕事も膨大な量になっています。

　これは私が40年前に実際に体験し感じたことをベースに書いています。

　今ではCOBOLは古い言語となり、言語の主流は、この間次々と変わってきました。

　しかしここに書かれているソフトウェア作成の本質はあまり変わっていないのではないでしょうか。

　一方でプログラム言語が変わってくると、昔作られたプログラムはその言語を理解できる人が減ってきてますます修正が難しくなっていきます。

　私が若い頃に学びそしてプログラムを作成してきたCOBOLが世の中にはかなり残っていてこういったプログラムをメンテナンスするために60を過ぎたかつてのプログラマーを募集する広告をいまだに目にします。

　これらのプログラムは作成されてから何十年も生き続け人々はこれらのプログラムが何をしていてどのような機能を持っているのかもわからなくなっているかもしれません。

　かつてのCOBOLプログラマーたちが働けなくなった時にはどうなるのでしょう。

　もはやコンピュータ化される以前の手作業を覚えている人たちもいないでしょう。

　このように世間のいたる所で作成され働き続けるプログラムたちの蓄積は社会にとって資産なのでしょうか。

　私はむしろ負債のような気がします。

　負債という言葉が適切でないとしたらリスクではどうでしょうか。

　ここでこの章の冒頭の疑問に戻ります。

　日本ではこの職種はブラックだとされています。

　一方でアメリカでは、SEはあこがれの職業の一つです。

　ここで述べたようなプログラムにまつわる特性は日本

だけのものではなく世界共通のはずです。

　ではなぜ日本ではこのような差ができてきたのでしょうか。

　私にはその理由がわかっているわけではありません。

　ただ以前から不思議に思っている事、そして長い年月の中で感じてきた事があります。

　これだけ社会の中で重要な役割を担ってきている職業なのに、未だに一般には認知されず、特に経営層の理解が薄いように思われます。

　また、私が勤め始めた頃には、小さな会社でも、内部にSEを抱えて内製していたシステム構築をどんどんアウトソースし、専門の会社がそれを作るようになってきています。

　それらの会社は、建設築会社のように多層化し、2次下請け、3次下請けと仕事を下ろし総体としては、低い賃金で過酷な労働を強いられている業界という印象があります。

　アメリカでは、むしろ一般企業の中に自前のSEを抱える事が多いと聞いています。

　ただアメリカでは以前から、企業内のシステムにパッケージを使う事が多く、日本では、給与計算や会計処理など比較的独自性の薄い業務でも、それぞれの企業ごとにシステムを構築する事が多いのは、前にも書いた通りです。

(3) 日本の脱落

　この仕事の暗い側面をお話ししてきましたが、長年この世界に関わってきて私自身はこの仕事に愛着を持っていますしやりがいを持ってきました。

　時代の最先端に関わりながら、自分なりの個性を生かせる価値のある仕事だと今でも思っています。

　私が入社して早々この仕事について悩んでいた時、仕事について教えていただいた上司から、私を励ましながらこの仕事の良さを心から伝えてもらいました。

　システムを作る際は、その周辺についていつも勉強しなければならない。

　会計システムに関わる時は経理を、給与計算に関わる時は社会保険や税金について、常に学ばなければならない。

　しかしその事が、この仕事の醍醐味でもある。

　そんな事を教えてもらいました。

　一般には、機械相手で人とのコミュニケーションが無いイメージがありますが、一つのシステムを作る際には、今まで手作業ではどんな事をしていたのか、どこが大変で、何を改善してほしいのか、徹底的に現場の社員にヒアリングを行います。

　システムができた時には、またその業務に関わる社員からの評価や感謝の言葉が糧になります。

　人とのコミュニケーションがなければ良いシステムはできません。

　入社して声をかけてもらった上司の言葉をなぞるように、コンピュータの雑誌で読んだ記事でも、宇宙開発に関わるシステム開発の話が出ていて、そこにはやはり同様にシステム開発者の言葉として天文学の本を読み込んだ話が書かれていました。

　こういった世の中の様々な事象に対する好奇心がこの仕事を支えていると私は思います。

　私が入社した頃には様々な社内業務がまだ手作業であり、我々の前にはまだ未開拓の分野が広がっていました。

　また、関わるべき職場の人たちは、目の前にいました。現場の業務の問題を同じように感じる事ができ、システムの効果を理解する事ができました。

　当時のコンピュータはまだ一般の人からは遠い存在でしたが、日本のコンピュータ産業は上り調子にあり、先頭を行くアメリカをとらえているように見えました。

　もちろんIBMは圧倒的優位にありましたが、富士通、日立、NECなどが急速に力をつけていました。

　日本全体が、それまで続けてきた経済成長の頂点に立ち、前途は洋々と広がっていました。

「ジャパン・アズ・ナンバーワン」という本が世間では

話題になり、いずれは日本のコンピュータ産業がアメリカを追い越す日が来ると思っていました。

　コンピュータを構成する半導体では、すでに日本は独走していて次はコンピュータそのものがターゲットと考えても不思議ではありませんでした。

　日本が半導体で躍進した背景には、官民の連携、そして民間企業どうしの共同研究があったのですが、コンピュータそのものについても同様の組織化がはかられIBMを筆頭とするそれまでのコンピュータの原理を越える新しいコンピュータを創造すべく「第五世代コンピュータ」を目指していました。

　私はこのタイトルの本を当時読んで、今までのコンピュータとは異なる人工知能のようなマシンを目指しているんだと感じ希望を持ったものです。

　現代の言葉で言えばAIでしょうか。

　製造業としては、一人勝ちしていた日本も、韓国、中国などから追いかけられていてコストでの優位はいずれ薄れていくと考えられ、新たな優位性を持つ産業を育てなければならない。

　そしてそれは従来のハードウェアではなくソフトウェアやバイオ産業であると当時すでに考えられていたと記憶しています。

　予想通り韓国や中国の追い上げは激しく日本の電子産業、製造業全体の優位はあっというまに失われていきました。

　そして製造業に代わって日本を牽引すると目されたソフトウェア産業は期待通りに成長したとは言えず、目標としたアメリカは、次々と新しいステージに移行し、目の前に見えた目標はさらに遠くなってしまいました。

　これが失われた20年（あるいは30年）と言われ今にいたる日本の失われた過去の時間です。

　私には、前節で述べた日本のソフトウェア産業の過酷な現状や、経営者のITに対する理解の薄さがこの事に関係しているように思われてなりません。

　製造業（ハードウェア）と同じ考え方で、ソフトウェアに対応できると考えた日本の経営層、官僚、政治家を含めた大きな勘違いがあったのではないかと考えます。

（4）未来に向けて

　IT戦略については政府は何度も施策を発表してきています。

　しかし現在までのところこれが的を射ているとは感じられません。

　ITとはなんでしょう。

　ソフトウェア産業の発展とはなんだろう。

　SEの仕事ってなんだろう。

　日本の再生とはどう繋がるのだろうか。

漠然とした世界であり、立ち位置によって見えるものが違うような気がする。

日本の最先端の頭脳を集めて見える世界とは別に、日本中に広がる現場のとても低い位置からの、長い時間をかけた定点観測のような見方もあっていいのかもしれない。

別のものが見えるのかもしれないと思います。

政府は小学生へのプログラミング教育を打ち出しています。

正解なのか不正解なのか私には断言はできませんが、何かITに対する断片的で薄い理解を感じます。

今までの企業経営や、政策立案をなぞったような判断ではなく、もっと幅の広く深い理解が必要なのではないかと考えてしまいます。

プログラミング教育が間違いというわけではありません。

ただそれだけではないもっと包括的で、体系立ったなにかが足りないように思います。

今までうまくいかなかった10年20年を振り返って本当にその原因をつかんでいるのだろうか。

そこにはITをかつての成功パターンである工業製品と同じ考えで理解しようとしているのではないかと考えてしまいます。

ソフトウェアをハードウェアと同じ工学的な観点から理解するのではなく、もっと社会との関わりからとらえ

る文系的な理解が必要なのではないかと思います。

　ITをどこまでも理系的に理解しすぎている事に問題の根があり、この事が産業としての日本の立ち遅れを含む現状に繋がっているのではないか。

　コンピュータと人間との関わりに関する様々な問題、社会との関わり方を新しくとらえ直す必要性を強く感じます。

　ソフトウェア産業がゼネコンと同じようないわば搾取の構造に陥ってしまっている事などもITではなく日本に固有の社会の構造に立ち戻らなくては理解できない事があります。

　プログラム自体がプログラム言語と言われるようにあくまでも、人間側の都合に合わせて考案されたものなのに、人間に寄り添った解釈は不十分ではないかと考えてしまいます。

　私が体験したITの世界では、優れたシステムを作るためにはコンピュータの理解だけではなく、対象となる業務や担当者などあくまでも人間の世界を理解できる事が重要でした。

　実際に、SE、プログラマーの中で文系出身者は私の聞いた限りではかなりの割合をしめており、また文系ならではの特性を生かして従事している事も聞いています。

　これらのプログラマーやSEを養成する教育の世界においてもアメリカでは日本のような文系理系の区別がな

いと聞いています。

　いわば文系理系を越えた総合的な理解をしている中で、コンピュータを社会の中で位置づけそして新しい利用の仕方を次々に見つけているような気がします。

　日本にとってコンピュータの利用が重要である事はだれしも異論のないところでしょう。

　そしてそのためには次代の産業を担う若い人たちへの教育が重要である事はもちろんです。

　しかし、それが小学生へのプログラミング教育だけで済むものとはとても考えられません。

　もっと深くそして幅広いコンピュータと社会の関わりに対する理解、そしてプログラム開発そのものよりもコンピュータをどう役立てていくかを様々な領域の人たちが考えていく事が日本にとって必要な事を社会を担う広い層の人たちに気が付いてほしい。

　その事が私の願いです。

あとがき

　幸か不幸か、システム部門に配属された事から始まった私とITの付き合いは、22歳で入社してから、65歳で退職するまで形を変えながらも続きました。

　同じITの中でも、様々なポジションを経験し、その立場立場で、ささやかな努力を続けてきたつもりだし、結果として幸せだったと感じています。

　私を家庭や職場で支えてくれた家族、同僚、上司、部下、関係した全ての人たちに感謝したいと思います。

　しかし私はこの40年を通して、日本の会社の中で、あるいは社会全体としてITの理解が浅く、会社を左右する重要な業務とはみなされてこなかったと考えています。

　そして、その事が、日本の衰退と大きく関連している事を、40年を振り返りこの本を書き進める中で改めて感じていました。

　2019年版の「情報通信白書」が発行されました。

　その中で書かれているのはまさに私がこの本の中で伝えたかった事である事に驚きました。

　IT投資の低迷、IT部門での自社開発を怠った事がデジタル経済への対応の遅れを招き、米中のような巨大

IT企業を生み出せなかったと明確に示されていました。政府の中にも、この事に焦点をあてる人たちがいるのは意外でした。

　しかし、なぜこうなってしまったのかは示されていません。

　どうしたら良いかについては、「IT人材の充実」を訴えています。

　この点についても、転職先の大学で、ICT教育の方向性について悩んできた課題でした。

　後付けで、ITが重要視されてこなかったと言っても、経営者も時代の一般的な常識の中で最善と思う選択をしたのだろうし、一方で経営を見据えたITのビジョンを構想できなかった我々IT担当者も責任の一端を負っていると思います。

　私は、「なぜこうなってしまったのか」「これからどうすれば良いのか」を突き止めたいと思っています。

　私自身、いつの日かその答えをまとめようと思っています。

　同時に思いを同じくする人の力をお借りし、知恵を集める場を作りたいとも考えています。

　最後に文芸社編集部の竹内明子さんには、私の様々な問合せにも丁寧に対応いただき、心から感謝したいと思います。

著者プロフィール

伊東 途雄 (いとう みちお)

1954年生まれ、東京都出身在住。
1976年　中央大学経済学部卒。
大手製造業の関連会社に30年、大学職員として12年、いずれも
IT部門に勤務。
2019年65歳にて退職。

ITと私の40年　情シス内側からの報告

2020年2月15日　初版第1刷発行

著　者　伊東　途雄
発行者　瓜谷　綱延
発行所　株式会社文芸社
　　　　〒160-0022　東京都新宿区新宿1−10−1
　　　　　　　　電話　03-5369-3060　（代表）
　　　　　　　　　　　03-5369-2299　（販売）

印　刷　株式会社文芸社
製本所　株式会社本村

©Michio Ito 2020 Printed in Japan
乱丁本・落丁本はお手数ですが小社販売部宛にお送りください。
送料小社負担にてお取り替えいたします。
本書の一部、あるいは全部を無断で複写・複製・転載・放映、データ配
信することは、法律で認められた場合を除き、著作権の侵害となります。
ISBN978-4-286-21274-6